WYTH STORI FER

GOREUON GWOBR GOFFA KATE ROBERTS

Rhagymadrodd gan Robert Rhys

Noddwyd Gwobr Goffa Kate Roberts gan S4C

HUGHES

Cyhoeddwyd gyntaf Awst 1990

ISBN 0 85284 078 0

Cyhoeddwyd gan Hughes a'i Fab, Clos Sophia, Caerdydd, CF1 9XY

Cysodwyd ac argraffwyd gan Wasg Dinefwr, Heol Rawlings, Llandybïe, Dyfed, SA18 3YD

CYNNWYS

Nodyn: Beirniaid y gystadleuaeth oedd Eigra Lewis Roberts, Rhydwen Williams ac Euryn Ogwen. Ni nodwyd trefn teilyngdod, ond fe osodwyd 'Chi Frithyll Bach', 'Tyddyn Gwyddfid', 'Y Cyw Gog' a 'Siop Piccadilly' yn y dosbarth cyntaf.

RHAGYMADRODD

Roedd hi'n gwbl briodol, wrth gwrs, mai Gwobr Goffa Kate Roberts oedd yr enw a roddwyd ar y gystadleuaeth stori fer y cyhoeddir gorau ei chynnyrch yn y gyfrol hon. Oni bai i Kate Roberts fabwysiadu'r ffurf a chynhyrchu drwyddi gorff o lenyddiaeth glasurol mae'n bur debygol na fuasai'r stori fer yn mwynhau'r statws sydd iddi o fewn y diwylliant llenyddol Cymraeg. Un elfen yn yr hyn yr ydym wedi'n dysgu i gyfeirio ato fel yr 'adfywiad llenyddol' ar ddechrau'r ganrif hon oedd i'r ffurf ffug-chwedlonol fer y rhoddwyd bri arni gan rai o awduron amlycaf Ewrop yn ystod y ganrif ddiwethaf ennill ei phlwyf yn y Gymraeg. Roedd gwaith Kate Roberts yn rhan o'r adwaith yn erbyn geiriogrwydd anghynnil llawer o ryddiaith y genhedlaeth flaenorol ac o genhadaeth graddedigion hyderus y colegau o blaid crynoder clasurol mewn arddull. (Mae'n arwyddocaol mai'r ysgrif a'r stori fer oedd dewis ffurfiau dau lenor rhyddiaith pwysicaf y genhedlaeth a olynodd Daniel Owen.) Hoffai Kate Roberts fynegi ei dyled i'r Mabinogi yr oedd eu Cymraeg 'yn syml, yn gwta ac yn gynnil' ond fe anogai ddarpar-awduron hefyd i ddarllen 'storïau byrion a ystyrir yn glasuron, gweithiau pobl fel Chekov, Maupassant, Strindberg, Daudet, Pirandello, Balzac.' Erbyn i Kate Roberts gyhoeddi ei chyfrol gyntaf ym 1926 roedd modd cyfeirio at oriel o feistri cydnabyddedig ar y ffurf, ac yr oedd beirniaid eisoes wedi dechrau diffinio nodweddion y ffurf ar sail tystiolaeth y storïau cyhoeddedig. Daethpwyd i synied am y stori fer fel cyfrwng a ganolbwyntiai'n ddeallus ar argyfwng ym mywyd y prif gymeriad, un a wnâi i'r cymeriad hwnnw gan amlaf ailystyried ei olwg ar y byd. Cydymffurfiai storïau Kate Roberts â'r patrwm hwnnw i raddau pell iawn ac o blith storïau'r gyfrol hon, 'Wedi'r

Gawod' sy'n dilyn y drefn honno ffyddlonaf. Nid bod hynny'n gyfystyr â dweud ei bod hi'n well stori na'r lleill; cam bach iawn yw hi o ddiffinio i ddeddfu, ond cam gwag ydyw. Ni ellir deddfu ynghylch priod nodweddion y stori fer — y cyfan y mae modd ei wneud yw disgrifio nodweddion storïau byrion.

Ac fe gafwyd amryfal fathau o storïau yn y Gymraeg. Defnyddiwyd y cyfrwng gan amryw i oleuo cymdeithas ac nid unigolyn, i geisio dal asbri a bwrlwm bywyd pentref neu fro mewn cyweiriau ysgafnach, mwy ffwrdd-â-hi, gyda'r pwyslais ar ddweud difyr, nid ar ddadlennu arwyddocaol. Dyna faes rhai fel W. J. Griffith a J. J. Williams, ac mae rhai o storïau'r casgliad hwn yn perthyn yn nes i'r traddodiad hwnnw nag i briffordd y stori 'lenyddol'.

Ac fe welir amrywiaeth hefyd o fewn gwaith Kate Roberts ei hun. Ehangodd dipyn ar ei dulliau wrth i'w gyrfa ddatblygu ac fe fu ffurfiau 'cyffesol' person-cyntaf ei storïau diweddar yn amlwg eu dylanwad ar awduron rhyddiaith ein dyddiau ni.

Ceisiodd y beirniaid hefyd gyffredinoli'n ystyrlon am gyd-destun cymdeithasegol y stori fer. Mae pobl y stori fer, meddir, yn perthyn gan amlaf i ryw is-ddosbarth cymdeithasol a waherddir rhag ymddangos ar lwyfan mwy ysblennydd y nofel. Pobl yr ymylon ydynt. Ni ellir cymhwyso'r sylw hwn yn ei grynswth at y sefyllfa Gymreig, ond yn sicr fe gafodd un garfan, sef y gwragedd, fynegiant llawn yn storïau Kate Roberts. Merched yw prif gymeriadau pump o'r wyth stori hyn, a merched yw chwech o'r awduron.

Gellid disgwyl hefyd y byddai'r stori fer yn mwynhau lle canolog o fewn diwylliannau lleiafrifol, lle nad yw'r diwydiant llenyddol yn medru cynnal awduron llawn-amser. Defnyddiwyd y dyfaliad hwn droeon i egluro diffyg datblygiad y nofel Gymraeg; a dwys hefyd fu'r darogan ynghylch yr effaith ddinistriol a glastwreiddiol a gâi S4C ar ryddiaith Gymraeg drwy ddenu'r hufen i gyd i'w gwasanaeth hwy. Ond fel arall y bu hi; yn ystod oes fer S4C y daeth rhai o nofelwyr mwyaf ymroddedig y ganrif hon i'r golwg, ac mae o leiaf ddau ohonynt yn gweithio yng nghyswllt y teledu. Dadeni felly ym myd y nofel; nid felly'r stori fer. Un llenor blaenllaw yn unig (Jane Edwards) sy'n defnyddio'r stori fel prif gyfrwng ar hyn o bryd ac mae lle i ofidio am barhad y ffurf fel cyfrwng llenyddol o bwys. Pob clod i noddwyr y gystadleuaeth hon felly am eu gweledigaeth, a bydded i'r addewid a welir yn y storïau hyn gael ei gyflawni mewn cyfrolau eraill maes o law.

ROBERT RHYS

CHI FRITHYLL BACH

Nia Hall Williams

Does gen i ddim byd yn erbyn pysgod fel y cyfryw, na dim, chwaith, yn erbyn fy nhrwyn. Ond neithiwr bu ond y dim i'r ddau ohonyn nhw fynd yn drech na mi. Dyna ble'r oeddwn i'n eiste yn fflat Jonah, y dyn roeddwn i'n 'styried ei briodi, yn meddwl nid am glychau'r Llan, nac am wely dwbl, ond am y noson honno yn y Memorial Hall flynyddoedd yn ôl, pan glywais i wynt pysgod ar Wil Meredith.

Pymtheg oed oeddwn i ar y pryd. Darpar-ddynes. A Wil yn fwy o lencyn nag o ddyn yn ei jîns a'i grys-T (nad oedd, erbyn meddwl, ddim pats ar grys persilaidd ei wisg ysgol). Chefais i 'rioed wadd i'r Mem o'r blaen — gan fachgen, felly. Doeddwn i ddim yn un o'r cylch cyfrin o aeddfedwyr cynnar y Pedwerydd Dosbarth, ac er bod Mam yn brolio fy nghoesau (heb sôn yr un gair am y gweddill ohono' i) welwn i ddim argoel bod pâr o bennau-gliniau preiffion, dan fini statudol y cyfnod, yn atyniad i neb.

Chwarae teg, felly, i Wil.

'Ddei di'r Mem nos Sadwrn? Ffilm go dda, medden nhw.' Yn ddidaro. A minnau, wrth gytuno, yn smalio difaterwch cyfatebol.

A dyna ni — y ddau ohonon ni'n pwyso'n genau a'n dwylo ar ymyl bren rhes flaen y Balconi. Yn gwylio — be? Wyddwn i ddim; digon i mi fy nrama fy hun. Edrychais ar Wil, ei wyneb yn dywyll yn erbyn golau'r prosiectydd a'i lygaid wedi'u sodro ar giamocs y sgrîn — yn hollol anymwybodol o'r bwndel o gryndod wrth ei ochr. I bob golwg. Be welwn i nesa ond bys cynta ei law dde'n cripio fel lindys ar hyd yr ymyl bren i gyfeiriad fy mawd chwith — a'i fachu a thynnu'n llaw innau tuag ato.

Be goblyn oedd y dyn yn ei neud?

Sleifiais o'i afael a chlywed ar yr un pryd ddrewdod rhyfedd o'm cwmpas ym mhobman.

Proc reit sydyn yn ei asennau.

'Fuest ti'n y siop chips ar y ffor'?'

'Naddo'n Duw. Pam?' Sibrydiad ffyrnig.

'Hogle pysgod mawr arnat ti.'

'Be haru ti, dywed? Watsia'r ffilm, nei di. . .'

Wyddwn i ddim ar y pryd ond dyna'r cynta o gyfres o brofiadau rhyfedd yn fy hanes.

Roeddwn i'n ddeunaw cyn imi brofi'r nesa, yn ddeunaw ddiniwed ond yn ddigon call i wybod bod 'na ddimensiwn arall, nad oeddwn i eto wedi ei blymio, y tu cefn i ddiagramau'r gwersi Biol a Heijîn. Cywilydd imi, felly, ryfeddu at J.O. pan lwyddodd i'm gwthio, un noson, i'r gornel gyfyng honno rhwng y bocs teleffon a siop y cigydd. Diwedd y tymor oedd hi, diwedd dyddiau ysgol, ran hynny, a Disgo'r Chweched wedi rhygnu yn ei flaen yn ddidrugaredd, yn fy ngolwg i, gan 'mod i wedi hen 'laru ar drosglwyddo fy mhwysau o'r naill droed i'r llall ar ganol y llawr wyneb yn wyneb â Jane drws-nesa. Tan i J.O. ddod fel y cafalri i'm hachub a'i gynnig ei hun yn gwmpeini ar y ffordd adre. Law yn llaw. Iawn. Ond roedd y fraich sydyn am fy nghanol a'r ochrgamu destlus i'r gornel yn annisgwyl, a'i ymdrech i ddod o hyd i'm ceg â'i geg yntau yn wlyplyd o annifyr. A gwaeth na hynny, yn bygwth fy mygu.

Llwyddais, o'r diwedd, i ryddhau ceg a thrwyn a chymryd fy ngwynt ataf.

'Paid.'

'Pam?'

'Hogle pysgod arnat ti.'

Cyd-ddigwyddiad meddwn wrth imi gerdded adre (ar fy mhen fy hun, wrth gwrs) a chofio am Wil. Cyd-ddigwyddiad pendant, mae'n rhaid. Ac eto — tybed? Hedyn bach o amheuaeth; ac yn ystod y flwyddyn ganlynol, fy mlwyddyn gynta yn y coleg, fe dyfodd yr hedyn hwnnw i fod yn sicrwydd. Gan fod profiadau erbyn hynny'n cynyddu, a diniweidrwydd yn diflannu wrth i 'nghoesau sgafnu, cefais ddigon o gyfle i sawru cwrw a Silk Cut, chwys ac ambell i bwff o Brut for Men ar nos Sadwrn go sbesial — heb i'r un ohonyn nhw darfu dim arna i. Ond gwae imi gael hanner llond ffroen o bysgod; mi fyddai'n ddominô diseremoni ar y creadur truan dan sylw, fel y bu ar Wil a J.O.

Erbyn diwedd y flwyddyn bu'n rhaid imi gyfadde bod sôn am gyd-ddigwyddiad yn trethu credineb; a chyfadde hefyd i mi fy hun 'mod i'n greadures od ar y naw. Er hynny, fedra i ddim honni bod yr wybodaeth honno wedi llesteirio 'mywyd i nac ychwaith wedi arwain at y math o rwystredigaethau oedd yn gymaint o destun trafod yn y dyddiau goddefol hynny. Ar un ystyr, hyd y gwelwn i, roeddwn i'n gwbl normal.

Soniais i ddim wrth neb, wrth gwrs, am y profiadau rhyfedd tan i agosatrwydd cyfeillgarwch min-nos yn y neuadd breswyl fynd yn drech na mi ryw dro yn ystod fy nhrydedd flwyddyn.

'Ti'n gwybod be 'di o?' meddai Jane (drws-nesa gynt). 'Rhybudd. Dy drwyn di sy'n deud 'thot ti bod hi'n amser i'r bois 'ma gael eu cardie. *Extra-sensory* bethma — hwnnw ydi o.'

Welwn i ddim byd o'i le ar y ddamcaniaeth honno ac o hynny 'mlaen, llithrais o'r naill berthynas i'r llall yn gysurus o wybod y byddai cyfuniad o drwyn a physgod yn darogan tynged y dynion yn fy mywyd. Dwi'n barnu mai Jane hefyd darodd ar y syniad o'u bedyddio nhw, 'Pwy sy gen ti heno — 'rhen siwin bach 'na?' A bu'r difyrrwch hwnnw'n ddigon i'n harbed ni rhag sterics drwy gydol yr arholiadau ola a phontio'r misoedd o dir-neb rhwng diwedd dyddiau coleg a chychwyn swydd newydd.

Roedd yr hen 'siwin bach' yn haeddu mwy o barch am deyrngarwch nag y cafodd o yn ystod y cyfnod hwnnw cyn i fy swydd gyntaf agor y drws i frid newydd o gydnabyddion brasach eu byd nag yntau a'i debyg. Buan iawn y gwelais i, bryd hynny, fod perchenogaeth cerbyd pedair olwyn, yn Fini neu'n XR*i*, gystal gwasgarydd arogleuon â joch o Summer Haze ac yn hwb pendant i barhad perthynas. Yn wir, erbyn i ddyddiau Lobster Thermidor, perchennog yr XR*i*, ddirwyn i ben, roeddwn i nid yn unig wedi teithio i ben draw'r Eidal ac yn ôl yn ei gwmni, ond hefyd yn dechrau dygymod â'r syniad o fywyd moethus mewn bwthyn bach to gwellt ffasiwn newydd.

Dyddiau disglair, sgleiniog. Doedd dim disgwyl iddyn nhw barhau, ac er syndod imi, chefais i'r un pẁl o hiraeth ar eu holau wedi imi gyfarfod Jonah. Pensaer. Gan mai PR mewn banc oeddwn innau, bu'n delwedd cylchgronaidd ni'n destun chwerthin i'r ddau ohonon ni yn ein dyddiau cynnar. Dyn tawel. Cyffyrddus. Buom yn cerdded (o ddewis ac o raid, doedd gennyn ni ddim beic rhyngon ni heb sôn am gar) ac yn siarad yn ddi-baid. Ac, yn ddiweddar, yn cydfreuddwydio am ein dyfodol, heb imi glywed yr un waith arogl o fath yn y byd mwy na siampŵ gwrywaidd ei naws ac olion sebon siafio.

Pan ddaeth Jonah i ateb drws y fflat neithiwr a'm tynnu i'w freichiau yn y cyntedd bychan, prin y medrwn i gredu fy ffroenau. Roedd o'n drewi. Drewi, dyna'r unig air amdani. Bu'n rhaid imi esgusodi 'mrys i ddianc o'i afael drwy smalio pẁl o beswch a mynd am y lolfa gynted medrwn i.

'Wyt ti'n barod?' gofynnais.

'Nac wyt, dwi'n gweld,' gan ateb fy nghwestiwn fy hun; nid mewn pwlofyr a hen drowsus gwaith y bydd dyn yn hebrwng ei gariad i L'Auberge Helene, ac yno roedd Jonah wedi trefnu bwrdd ar ein cyfer. 'Fedrwn ni mo'i fforddio. Ti na mi.' Protest fechan, ddi-asgwrn-cefn oedd honno am fy mod i'n gwybod yn iawn mai dathlu y bydden ni neithiwr. Dathlu? Ac arogl pysgod ar y dyn?

'Tyd o 'na. Stedda fan'na,' (yn y gadair freichiau).

'Cym hwn,' (clamp o Fartini).'Fydda i'r un dau funud yn newid.'

Ac i ffwrdd â fo a'm gadael yn glymau bach o ddryswch a siom. Ar ôl yr holl fisoedd o lonydd, tybed, tybed a oedd fy nhrwyn, ar yr unfed awr ar ddeg, yn gwneud ei orau glas i'm rhybuddio? Os felly, daria fo. A daria Wil a J.O. a'r holl ribidirês ohonyn nhw, gan gynnwys Mr Barrett.

Mr Barrett?

Bu ond y dim i'r Martini fynd i ebargofiant. Mr Barrett. Gwyddwn yn sydyn fod rhaid imi feddwl amdano fo; meddwl a chofio.

Ar fore Gwener byddai Mr Barrett yn dod at y giât yn ei fen ac yn canu'r corn i dynnu sylw Nain. Efo hi byddwn i'n treulio pythefnos o wyliau bob haf, a gerfydd ei llaw hi y cerddais i gyntaf, yn dwmplen fach dew, ar hyd y lôn i'w gyfarfod. Byddwn yn edrych ymlaen at weld y pysgod yn eu rhesi taclus a'r persli gwyrdd yma ac acw rhyngddyn nhw, a rhyfeddu at ddawn Mr Barrett i hollti macrell a thynnu ei berfedd. Ymhen amser cefais fynd at y giât ar fy mhen fy hun, y plât bach enamel yn y naill law a hanner-coron yn y llall.

'Cofia, rŵan, dau ddarn o gòd heb fod yn rhy fawr, sgwelwch chi'n dda.' Neges Nain, bob tro, wrth i mi gychwyn.

Fel y cychwynnais un bore Gwener, ychydig ddyddiau ar ôl imi gael fy mhen-blwydd yn ddeuddeg oed. Gwyliais Mr Barrett yn eillio'r croen yn gelfydd oddi ar y pysgodyn a'i lapio yn y papur saim a hanner tudalen o'r *Cambrian News.*

'Diolch yn fawr.'

Arhosais am ei gusan arferol ar fy nghorun a'i, 'Tan yr wythnos nesa, 'mechan i,' wrth roi'r plât yn fy nwylo. Ond teimlais ei law ar fy mhenelin.'Be sen ni'n eiste'n y ffrynt am funud? Cael *chat* bach?' Wyddwn i ddim beth i'w wneud ond roedd cwrteisi'n beth mawr gan Nain.

Roedd blaen y fen yn flêr a'r hen sedd ledr wedi sigo ers talwm a'i springs i'w clywed drwy fy ffrog haf denau. Daeth Mr Barrett i eistedd yn sedd y gyrrwr, ei ddwylo ar yr olwyn, dwylo llydain, cochlyd yn drwch o haenau bach arian. Meddyliais am funud ei fod am gychwyn yr injen ond tynnodd hen gadach o'i boced a sychu'i fysedd, un yn un yn ofalus. Cyn troi ata i yn sydyn, rhoi ei law chwith ar fy ngwar a'm cwmpasu â'r llall. A gwasgu ei geg yn erbyn fy ngwefusau gyda phwysau ddigon i dorri'r croen, a'r drewdod yn fy ffroenau'n codi cyfog arna i. Mewn dau funud roedd y cyfan drosodd. Ei ddwylo ar yr olwyn, ei lygaid ar y ffordd o'i flaen a minnau'n rhedeg ar hyd y lôn at y tŷ. Baglais a chwympo, y plât a'r pysgod yn mynd dros y gwrych a 'nghoesau'n blastar o raean a mwd. Bu'r gwymp yn ddigon i gyfiawnhau dagrau ac egluro gwefus waedlyd pan agorodd Nain ddrws y cefn; gwyddwn, heb wybod pam, na fyddwn i byth yn dweud gair wrthi am y digwyddiad. Ar ôl maldod a hanner llond potel o TCP rhedais i'r llofft a thynnu amdanaf, pob rhecsyn, a'u taflu'n domen ar lawr. A chloi'r cyfan, y fen, a'r pysgod a'r — pethau eraill — ym mherfedd cof. Fel y tynnais y clo am ddrws y tŷ-bach wrth glywed corn y fen ymhen yr wythnos.

'Be sy? Ti'n sâl, dywed?'

Roedd Jonah ar ei liniau ar lawr o 'mlaen yn cydio yn fy nwylo. Fedrwn i wneud na dweud dim, dim ond cyrraedd am gadach o gôt ei siwt orau a'i foddi, o fewn eiliadau, â'm dagrau. Mae'n rhaid ei fod yntau'n wlyb at ei groen drwy'i grys cyn imi faglu gair o 'mhen. Ar ôl dechrau, wrth gwrs, doedd dim pall arna i a bu'n rhaid i'r truan wrando ar yr holl hanes — i gyfeiliant beichiadau — cyn imi bwyllo digon i holi.

‘Ond Jonah. Pam?’ (ochenaid fawr). ‘Pam mai heno dwi wedi cofio am Mr Barrett?’

‘Gwrando ’ma,’ meddai Jonah a’n symud ni i gysur y soffa. ‘Fuest ti’n difaru clywed hogle pysgod erioed? Gweld colled ar ôl un o’r — be ddweda i — pŵr dabs?’

‘Naddo.’

‘A be amdanon ni? Faset ti’n difaru fory tase dy drwyn di yn ein gwahanu ni?’

‘Baswn.’

‘’Na ti, ’te. Fu ’na ’rioed angen i ti gofio’r hen Farrett o’r blaen. Ti dy hun oedd isio’i gofio fo heno cyn iddo fo ddifetha dy fywyd di. Ein bywyd ni.’

Y geiriau melysaf glywais i erioed, ond hyd yn oed ar y funud honno bu’n rhaid imi rygnu ’mlaen.

‘Un peth bach, Jonah — roedd ’na hogle mawr arnat ti heno, ’sti. Wyt ti’n. . .?’

Ond cyn imi gael cyfle i ddweud gair arall, roedd Jonah wedi fy arwain i’r gegin.

‘*Madame*.’ Croeso i’r *auberge*; tydi Helene ddim yma wrth gwrs, ond mae’r *chef* yn un da, medden nhw.’

‘*Chef?*’

‘’Drycha.’ Cyfeiriodd at ddau becyn bach arian ar ben y bwrdd wrth ymyl y ffwrn.

‘Meddwl wnes i, y base’n well i ti wbod ’mod i’n dipyn o gŵc cyn i ni briodi. Felly, heno, i ti — Brithyll *à la* Jonah. Dwi wedi bod yn stryffaglio ers hanner awr i dynnu asgwrn eu cefnau nhw. Dyna pam roeddwn i’n. . .’

‘. . . drewi o bysgod,’ meddwn innau ar ei ran.

Dim ond un peth bach oedd ’na i’w wneud, ac mi wnes hwnnw, gan sibrwd yn ei glust,

‘O, ’mrithyll bach i, mi allwn i dy fwyta di.’

TYDDYN GWYDDFID

Annes Glynn

Swatiai mor snêc ag erioed yng nghysgod y Graig, ei wyneb garw yn cael ei olchi'n ysgafn gan heli Porth Neigwl a'i dalcen un ffenest yn sbecian i lawr ar fynwent fierog Capel Peniel. Tyddyn Gwyddfid. Bwthyn unllawr. Di-lol fel pobl Llŷn, mor ddiaddurn â'u sgwrs.

Y prynhawn hwn ym Mawrth, anwesai'r niwl y bryniau a'r toeau anaml o'i gwmpas, yn fyglyd laith fel y felan. A phŵl oedd croeso'r ffenestri o bobtu i'r drws ffrynt isel.

'Arglwy' mawr! Sôn am dwll din y byd!' Tuchanai Ted Richards y tu ôl i lyw y Sierra XR. 'Be ddiawl ddoth dros ben dy Anti Sera i setlo'n y fath gongol ddienaid, dŵad?'

'Chwilio am fymryn o heddwch, mae'n siŵr. Dim pawb sydd isio rhuthro trwy fywyd fel gafr ar d'rana, 'sti.' Ar ei gwaethaf ni allai Bet gelu'r min siarp yn ei geiriau.

'Hei, *steady on*, 'rhen goes — dim byd personol. Ond mae'n rhaid i chdi gyfadda na tydi *des-res* ddim yn eiria sy'n neidio i dy ben di o edrach ar Dyddyn Gwyddfid, nacdi, hyd yn oed a chymryd bod gen ti ddychymyg *techni-colour* fel *estate agent*.'

'Dim heddiw ella . . . ond tydi'r lle ddim ar 'i ora ar y funud rhwng y niwl a chwbwl. Erbyn y byddwn ni 'di gwario rhywfaint arno fo, gosod ffenestri mwy, a rhoi côt hegar o baent yma ac acw . . .'

Ond roedd ei gŵr yn chwilota'n swnllyd am ei gagŵl yn y bŵt ac yn ddiamynedd am i Bet ymuno ag o i fwrw golwg ar y tŷ a ddaethai'n eiddo mor annisgwyl iddi.

'Tyd 'laen.'

Ac fe'i dilynodd gan fwytho'r goriad cynnes yng ngwaelod ei phoced.

'Blydi cachu defaid!'

Ni allai Bet beidio â hanner gwenu wrth iddi droi'r goriad yn y clo yn sŵn Ted yn crafu gwadnau ei focasins yn galed yn erbyn y wal gerrig isel.

'Mi fydd yn rhaid i ti arfar efo'r ogla hwnnw'n o fuan os 'dan ni'n mynd i fod yn dŵad yma ar benwsnosa a ballu.'

'Am ryw hyd, 'te. Mi ga i air efo Jo Wilson i weld pa mor fuan y medar o ddod draw i gael golwg ar y lle. Mi fasa fo'n gneud joban ddigon twt byth ac mae o'n rhesymol hefyd. 'I werthu o reit handi wedyn. Mi fydd Range Rovers Manchester yn gwibio ar hyd yr A55 yn o fuan ac mae gin y petha 'na o Dde Lloegar gymint o bres parod, ma'r diawlad yn medru fforddio sychu'u tina efo fo.'

'Gwerthu?' Hoeliwyd Bet yn ei hunfan yn y lobi dywyll. 'Pwy sy'n sôn am werthu? Y syniad gen i oedd y basan ni'n medru dŵad yma i ga'l brêc oddi wrth betha pan 'dan ni'n teimlo felly. Ffoi am sbel oddi wrth y ffôn swnllyd 'na. Siawns na fedar y garej redag 'i hun bellach ar ôl yr holl flynyddoedd. A ma' Hefin yn ddigon abal i edrach ar ôl y busnas heb i ti fod yn 'i ben o bob pum munud . . .'

Synnodd ei hun gyda'i llifeiriant annodweddiadol o eiriau. Rhythodd Ted arni.

'Argo . . . dal dy ddŵr, cyw, jocian o'n i am y Saeson, siŵr-Dduw. 'I gadw o fel rhyw fath o dŷ ha' i ni, ti am 'i neud 'lly? Doedd gin i ddim syniad . . .'

'Wnest ti ddim meddwl gofyn, naddo?'

Wrth i'w llygaid gynefino â'r llwyd-dywyllwch, gallai Bet weld siâp cyfarwydd y gist dderw isel o dan y ffenest. Am hon y byddai'n anelu'n syth pan ddeuai yma gyda'i mam ers talwm. Dwyn y clustogau meddal oddi ar weddill y dodrefn a'i phlannu ei hun yn gyffyrddus yn eu canol ar ben y gist a sbecian allan ar y môr.

Piti i'r ymweliadau teuluol brinhau wrth i'r blynyddoedd fynd heibio. Ei thad confensiynol, cysáct yn dylanwadu fwyfwy ar ei mam, a'i modryb wreiddiol, ddiddorol yn troi yn embaras ecsentrig yn eu golwg. Peth 'od' oedd mynnu troi tua'r gorllewin a phrynu bwthyn diarffordd yn nechrau'r pumdegau.

'Dwn i ddim pam ti'n trafferthu efo hi, wir,' fyddai byrdwn ei mam pan soniai Bet wrthi am ei hymweliadau achlysurol â Thyddyn Gwyddfid. 'Tasa hi'n meddwl rhyw-beth ohona i mi fasa hi wedi ca'l ffôn yna erbyn hyn. Does gen i ddim mynadd nac egni i 'stachu yno drwy'r niwl a'r glaw mân i eistedd yn 'i blerwch hi.'

Yn wir, *roedd* haen ysgafn o lwch ar wydr lluniau'r teulu ar ben y gist ond beth oedd i'w ddisgwyl a'u perchennog wedi bod yn gorwedd mewn ysbyty am bythefnos cyn marw'n dawel yn ei chwsg ychydig ddyddiau'n ôl? Diwedd siomedig o swta i gymeriad mor lliwgar, meddyliai Bet. Ond mor nodweddiadol o Sera i adael ei thŷ a'i heiddio iddi hi ac nid i'w mam.

Syllai ar y lluniau — rhai o Sera a'i mam yn enethod ifanc chwerthinog, Edward, cariad enigmatig Sera ladd-wyd yn Dunkirk, llun ei phriodas hi â Ted. Doedd pym-theng mlynedd ddim wedi newid cymaint â hynny ar olwg yr un o'r ddau. Ted wedi teneuo rywfaint ar y top a'i wyneb wedi llenwi dipyn, ond ei lygaid pefriog, direidus a'i denodd ato gyntaf, a lliw ei wallt ŷd-felyn, yn para yr un.

Yn y llun arbennig hwn roedd yn amlwg newydd weld rhywun yr oedd yn ei adnabod o flaen y capel. Rhewyd ei gyfarchiad hwyliog a'i godi llaw diseremoni yn od o fyw oddi fewn i'r ffrâm arian.

Edrychai hithau i fyny arno dan wenu'n swil yn ei ffrog Laura Ashley hufennog gyda'r goler uchel Fictoriaidd, blodau bach o'r un lliw â'r ffrog yn goron seml ar ei gwallt browngoch cyrliog, ei dwylo'n cydio'n dynn mewn tusw o rosod lliw oren ysgafn.

Bellach roedd ei gwallt dipyn byrrach a'i chanol yn dechrau lledu. Diffyg ymarfer cyson, nid oherwydd geni plant. Ac fe'i câi hi'n anos gwenu yng nghwmni ei gŵr y dyddiau hyn.

'Hei . . . Bet . . .'sti be, dwi 'di ca'l rhyw stag sydyn o gwmpas a wela i ddim byd mawr o'i le yma. Rhyw un gongol braidd yn wlyb yn y gegin ond dim byd na fedar *damp course* 'i fficsio. Ac mi gawn ni grant i ail-doi . . . Mae 'na botenshial iawn 'ma, 'sti. Ac yli be ffendish i ym medrwm yr hen dlawd, tu cefn i'r wardrob.' Cariai sawl cynfas yn ei hafflau. ''I henw hi sy wedi'i beintio yng nghongol yr oils 'ma, 'te? Pwy 'sa'n meddwl . . . Tynnu ar ôl dy Anti Sera wyt ti efo'r chwiw peintio 'ma, ma'n rhaid. A tithau'n troi'n dipyn o rebal yn dy henaint hefyd 'dwyt . . . Tyd, hwyr glas gen i fynd adra.'

* * *

'Iesu, Bet . . .' Plannai ei fysedd yn ffyrnig ym mochau ei phen-ôl y noson honno. Parhâi yr hafn rhwng ei choesau'n styfnig sych er bod ei chorff yn dyheu am gael ei fwytho'n drwyadl ofalus. 'Does 'na'm syndod na chawson ni ddim cyw a chditha mor blydi cyndyn o garu efo fi.' Roedd sŵn crio yn ei gyhuddiad.

Brathai hithau ei gwefus, ei chorff yn llonydd dynn a'i meddwl yn sgrechian.

'Dwi am smôc.' Lapiodd ei grys nos amdano cyn camu'n swnllyd i lawr y grisiau.

Gwyddai Bet y gallai ei dewi ar unwaith wrth sôn am ei gyndynrwydd i fynd am brofion er i'w rhai hi brofi'n galonogol. Ond roedd hi'n benderfynol na ddilynai'r llwybr hwnnw. Pe bai'n dechrau edliw, ofnai na fyddai taw arni. A beth bynnag, nid dyna ei steil.

Yn gyhoeddus, yng nghwmni cyfeillion o gyplau, byddai Ted ei phryfocio am ei bod mor gyndyn o wisgo'i chalon ar ei llawes: 'Hei, Beti bwt, agor allan, deud be sydd ar dy feddwl di, hogan. Cansar gei di os na nei di ollwng dy deimlada'n rhydd, 'sti!'

Yn ddiarwybod iddi dechreuasai fodio ei bronnau o dan y cynfasau, rhag ofn. Yn raddol troes ei bodio'n fwytho dioglyd, o gwmpas ei thethau caled, i lawr i lawr i fôn cyrliog ei blew nes i'w chluniau ddechrau codi a gostwng yn ddiamynedd, a'i hanadl droi'n ochneidio cynnes afreolaidd a'r boen braf yn chwyddo, chwyddo cyn iddi ffrwydro'n gryndod i gyd yn erbyn ei bysedd gludiog.

Er y rhyddhad synhwyrus, llifai dagrau digalon i lawr ei thrwyn a thros ei gwefusau chwyddedig wrth iddi orwedd yno ar ei phen ei hun yn y tywyllwch a sŵn atgofus ffilm o'r pedwardegau yn treiddio i fyny o'r stafell fyw.

* * *

'Hei . . . deffra . . . newydd weld Robert Redford ar Stryd Fawr . . . roedd o'n cofio atat ti . . .'

Gwenai'n ddiog bell ar Fflur a oedd wedi ymuno â hi yn y caffi myglyd, rhyw ddeng munud yn hwyr fel arfer. Mwynhâi'r egwyl a'r teimlad prin o ymlacio i'w bodiau ar ôl bore egnïol o beintio efo bysedd, stompio efo dŵr a mowldio clai yn yr ysgol feithrin. Sipiai ewyn ysgafn y coffi oddi ar ei llwy a'i meddwl yn hyfryd wag.

'Bora clai heddiw?' pwyntiai Fflur yn ddiriedus at y rhimynnau tywyll o dan ei hewinedd.

'Dim llawar o fynadd sgwrio bora 'ma, ma' gen i ofn. Mae'n ddrwg gen i os ydw i'n codi cywilydd arnoch chi, Mrs Fflur Huws!'

Gwenai'r ddwy yn gyffyrddus ar ei gilydd.

'Hei, be 'di'r newyddion 'ma sy gen ti, 'ta? Roeddat ti'n swnio'n gyfrinachol iawn ar y ffôn.'

'Cadw'r peth o dan dy het. Ond ti'n cofio fi'n sôn wrthat ti am chwaer mam — Anti Sera — dipyn o ddafad ddu, licio peintio a ballu, gorffennol reit liwgar, ei chariad hi laddwyd yn y rhyfel yn ddyn priod . . . Mae hi 'di gadal 'i thŷ i mi yn 'i h'wyllys, 'sti.'

'Iesgob mawr . . . y bwthyn ym Mhen Llŷn? Be wnei di efo fo?'

'Dwi 'di penderfynu 'i gadw fo.' Fel pe bai hi'n sôn am blentyn siawns.

'A Ted?'

'Wel . . . 'sti am Ted a'i ben busnas . . .'

'Well i ti roi nodyn bach ar y ffenast, 'ta: "Dim bradwr yn y tŷ hwn", fel y byddan nhw adag streic y Penrhyn ers talwm. Mae 'na dipyn o losgi 'di bod ym Mhen Llŷn 'na'n ddiweddar, cofia.'

'Dwi'n gwbod . . . Fflur, ti'n meddwl 'mod i'n farus isio dal fy ngafael yn y lle, a ninna efo un cartra cyffyrddus yn barod a chymaint o deuluoedd yn methu fforddio'r un?'

'Argo, paid â siarad rwtsh, Bet. Well gen i feddwl amdano fo'n perthyn i Gymry glân gloyw na'i fod o'n syrthio i ddwylo blewog y tacla 'na o dros y ffin.'

Gwên o ryddhad a'r fflodiart yn dechrau agor. 'Dwi 'di bod yn meddwl, 'sti, Fflur, mi fasa fo'n lle gwych i fynd i sgetsio. Mi fasa'n ddigon hawdd i mi bicio draw ar ôl ysgol feithrin. Rhyw awr o siwrna ydi o. Mi fasa Tyddyn Gwyddfid a'r tir o'i gwmpas o'n bwnc da, 'sti — 'i dal o fel ag y mae o rŵan cyn i ni ddechra gneud newidiada iddo fo.'

'Pam lai? Syniad grêt! Ac mae Edgar yn awyddus i ni fynd i'r afa'l efo tirlunia y tymor yma'n tydi? Hei, gwranda, fedra i ddim aros dim hwy. Wedi addo mynd â 'mam-yng-nghyfraith i Landudno am y pnawn a dwi ddim 'di gneud y gwlâu eto! Wela i di yn y dosbarth nos yfory. Mi fydd yn rhaid i ti sôn wrth Edgar am y syniad o beintio'r bwthyn.'

'Bydd.'

'A chym ofal — ti'n edrach 'di blino braidd.'

'Mi wna i . . . Hwyl.'

Gwenu'i gorau wrth ffarwelio â'i ffrind gan obeithio'r nefoedd na chlywodd y dagrau hurt, annisgwyl yn ei llais.

*   *   *

Bore mwyn o Ebrill. Gwlith y glaswellt yn sgleinio fel mwclis bach gwydr yn yr haul cynnar ac arogl ffres, glân fel anadl babi yn mwytho'i ffroenau wrth iddi bwyso allan drwy ffenest y stafell wely. Rŵan, yn y golau, gallai wfftio at y cysgodion rhynllyd a'r munudau o chwithdod direswm.

Roedd bore i'r brenin o'i blaen. Dim ysgol feithrin gan ei bod yn ddechrau gwyliau'r Pasg, dim cinio i'w baratoi. Roedd hi'n ddiwrnod ocsiwn ceir a Ted wedi mynd â llond basgedaid o bicnic efo fo ers awr neu ddwy.

Âi i Lŷn. Pacio'i phàd sgetsio, y pensiliau a'r pastels, brechdan neu ddwy, fflasg o de, carthen gynnes a llyfr clawr meddal ysgafn rhag ofn y deuai'r awydd i ddarllen.

Aeth i chwilio am oriad Tyddyn Gwyddfid. Damia! Doedd dim golwg ohono ar y bachyn yn y gegin. Tyrchu'n wyllt yn y potyn-dal-bob-dim ar silff y ffenest. Dim byd. Cofio'n sydyn, cyn i'r panig fynd i'r afael â hi go iawn, am y goriad sbâr yn y biwro. Llyfu'r chwys ysgafn uwchben ei gwefus uchaf wrth iddi hel ei phethau, a blas y rhyddhad wrth iddi gau'r drws ffrynt ar ei hôl yn chwerw felys.

Cawsai daith ddi-lol a'r Mini'n delio â'r ffyrdd cul, troellog heb dagu gormod. Cyrraedd cyrion y pentref, gwirioni ar yr olygfa — y bae, y creigiau, y tir anial, Tyddyn Gwyddfid, y Sierra . . . y Sierra? Ted yn Nhyddyn Gwyddfid? Doedd bosib ei bod hi wedi camddeall? Wedi trefnu i weld Jo Wilson efallai ac am gadw'r peth yn 'syrpreis' iddi — nodweddiadol o gynlluniau gwallgo Ted!

Cerddodd i fyny'r llwybr a thrio'r drws. Wedi cloi.

'Ted?'

Efallai ei fod yn y cefn yn cael golwg ar achos y tamprwydd yn y gegin. Trafod efo Jo.

'Ted?' Dim smic.

Tro arall o gwmpas y tŷ. Dim byd.

Yn ôl i'r ffrynt a chwpanu ei dwylo o gwmpas ei llygaid wrth iddi edrych i mewn trwy ffenest y lobi.

A dyna lle'r oedd y ddau. Ted a merch ifanc bryd tywyll yn ymbalfalu i mewn i'w dillad, a'r gwely soffa agored a'r cynfasau ar chwâl yn dweud y cwbl.

Safai yno'n hurt, ei cheg ar agor a'r sgrech wedi'i fferru'n ddwfn yn ei chorn gwddw.

Ymhen rhai eiliadau hir wedyn, wrth iddi glywed sŵn y drws yn agor, dechreuodd sgrialu rywsut-rywsut i lawr y llwybr cyn baglu i mewn i'r car a thanio'r injan yn wyllt.

Ffoi gan igian crio'n ddireol.

Dreifio'n ddiamcan i Dduw-a-ŵyr ble.

Y geiriau'n suo'n undonog yn ei phen fel gwenyn. ''Y mai *i* ydi o, 'mai *i* ydi o . . .'

Ei chael ei hun ym Mhwllheli, stopio'r Mini ym mhen pellaf maes parcio cysgodol, agor y fflasg, ond y te llugoer yn ddim help o gwbl i leddfu'r crynu a'i hysgydwai. Edrych ar ei wats, dim ond dau o'r gloch o hyd. Cerdded i'r dre mewn breuddwyd.

'Be wna i? Be ga i?'

Wisgi, eli i'r galon. 'Dim byd fel wisgi i sadio rhywun, 'sti.' Diolch Ted. Prynu potel a'i hanwesu fel pe bai'n dorth gynnes.

Yn ôl i'r car, datsgriwio'r Bells. Y dracht cyntaf yn creu cyfog gwag ond yn raddol y diferion melyn yn cynhesu ei brest ac yn llacio'i gewynnau. Hepian yn ddifreuddwyd yn haul cynnes y prynhawn.

Cnocio gwyllt ar y ffenest yn ei deffro ymhen hir a hwyr:'*Got to move now, love – I'm shutting up shop.*'

Brifo drosti a'i cheg yn grimp. Gyrru'r car i gyfeiriad y môr.

Bwcio stafell yn y gwesty cyntaf a welodd ar y ffrynt. Disgyn yn swp ar y gwely dieithr a phendroni'n hir.

* * *

'Helo . . . Bet! O diolch byth! Lle wyt ti, cyw?'

'Fedra i ddim siarad yn hir — dwi mewn bocs . . .'

'Be 'di dy rif di? Dwi 'di bod jest â . . .'

'Ted, dwisho amsar i feddwl, ca'l 'y ngwynt ata, mynd i ffwrdd am 'chydig o ddyddia. Ma'n rhaid i mi ga'l amsar . . . trio gweld lle ma'r darna'n ffitio'n y patrwm . . .'

'Ond be ddeuda i wrthyn nhw yma . . .?'

'Os bydd 'na unrhyw un yn holi, deud wrthyn nhw 'mod i 'di gorfod mynd i ofalu am Mam am 'i bod hi'n sâl neu rwbath. Iawn . . .?'

'Bet . . . Bet . . .?'

* * *

Noson ddi-gwsg. Eistedd yn y tywyllwch yn edrych allan ar y môr. Smalio na fuo fo erioed. Dyna'r peth callaf. Chwalu. Chwalfa. Llechen lân. Deilen newydd. Tynnu i lawr i godi i fyny. Torri ei chŵys ei hun. Gadael y nyth.

Tanio ei sigarét gyntaf ers pum mlynedd. Awel oer y môr yn treiddio trwy'r ffenest gilagored. Syllu ar lun ei phriodas yng ngolau gwan y fflachlamp.

'Mae'n ddrwg gen i am hyn i gyd, Anti Sera.'

* * *

Gorweddai ar ei gwely yn y gwesty yn gwylio'r newyddion amser cinio, yr ail botel o Bells yn hanner gwag ar y cwpwrdd *melamine* wrth ei hochr a'r gwydr brwsh dannedd yn gysur yn ei llaw.

'Bu tân mewn bwthyn diarffordd ym Mhen Llŷn

neithiwr. Crewyd cryn ddifrod i Tyddyn Gwyddfid, sy'n eiddo i gwpl lleol, ar gyrion pentref y Sarn. Dyna'r ail dân o'i fath yn yr ardal yn ystod y mis diwethaf ac mae'r heddlu'n ymchwilio i'r mater. Ein gohebydd ni yno yw Iwan Rhys.'

'Wel yma efo mi ym mhentref y Sarn mae'r Arolygydd Wyn Evans o Heddlu Gogledd Cymru sy'n arwain yr ymchwiliad i'r tân diweddaraf yma yn Llŷn. Arolygydd Evans, ai dyma'r cam diweddaraf yn yr Ymgyrch Losgi?'

'Mae'n anodd dweud yn bendant ar y funud. Dydyn ni ddim wedi dod o hyd i unrhyw offer ffrwydrol hyd yn hyn. Er hynny, rydan ni'n hollol sicr bod y tân wedi'i gynnau'n fwriadol ac rydan ni'n trin y mater fel trosedd ddifrifol iawn. Ond mae hi'n ymddangos fod y patrwm yn wahanol y tro hwn.'

Cilwenu, gwenu, chwerthin, chwerthin mor hir a chaled nes ei bod yn ei gwlychu ei hun. Hanner boddi. Hylif cynnes yn llifo i lawr ei hwyneb a'i choesau. Ei geiriau bloesg yn nofio rywle o gwmpas ei phen:

'Yr uffar gwirion, ti'm 'di dallt hi, naddo? *Does* 'na ddim patrwm, siŵr iawn. Ella y cei di bylia o feddwl fod 'na drefn o ryw fath, rhyw reswm rhyfedd y tu ôl i'r cwbl. Ond y munud y mae'r darna'n dechra disgyn i'w lle mae 'na ryw ddiawl yn dod ac yn troi'r sbeinglas ben-ucha'n-isa nes bod y siapia bach lliw ar chwâl unwaith eto. Damwain a hap, *hit or miss* chwedl Ted, dyna fel y mae hi i'r rhan fwya ohonan ni . . .'

Diffoddodd y teledu a chau ei llygaid chwyddedig am y tro cyntaf ers oriau. Pwysai ei phen briw yn ofalus yn erbyn y gobennydd neilon.

A hithau'n gorwedd yno yn dyheu am weld colomennod yn dod i'w ffenest, llanwyd ei chlustiau â sgrechian cras gwylanod barus.

Y DYDD Y TORRODD YR ARGAE

Mari Lisa

Tai-bach hen ffasiwn oedd yn ysgol uwchradd Pengam. Llefydd oer, digysur a'r papurau losin a'r gwm-cnoi yn hel baw yn y corneli ac o dan y pibellau dŵr. Yn y tŷ-bach ar y pen roedd Janet Swot newydd orffen codi'i phais yng-hanol drewdod y disinffectant a'r 'dwn-i-ddim-be-arall' ac yn ymestyn am y tsiaen, pan sylweddolodd fod tri phâr o lygaid yn ei gwylio o ben y wal chwith. Agorodd ei llygaid led y pen a dihangodd cri fach druenus o'i chrombil. Yn ei gwylltineb ymbalfalodd â chlo'r drws ac am ychydig eil-iadau — a deimlai fel oes iddi hi — methodd yn lân â'i ddatod. O'r diwedd, a'i llygaid yn dechrau llenwi, llith-rodd y bollt a diflannodd Janet Swot i berfeddion y córidor yn sŵn dŵr a chwerthin, a'i chywilydd yn wawr goch drosti.

Yn y tŷ-bach, yr ochr arall i'r wal, eisteddodd Jiwlia yn blwmp ar y sedd fahogani a'r sigarét yn ei llaw yn crynu.

'Iechyd, welsoch chi 'i hwynab hi . . . lobster myn diain i . . .'

Pwysodd Mags yn erbyn y drws a phlethu'i breichiau am ei chanol.

'. . . a'i llygid hi. Mi roedden nhw'n dŵad allan o'i phen hi . . .'

'O byddwch ddistaw!' sgrechiodd Shar. 'O . . . wir, peidiwch . . . mae gen i boen yn 'y nghylla . . .' a llithrodd i lawr y wal fel doli glwt i blannu'i phen-ôl helaeth ar y llawr concrid. Chwythodd Jiwlia gylchau mwg i'r awyr uwch ei phen a gwyliodd hwy'n troelli'n araf i gyfeiriad y tanc dŵr.

Cylchau llwyd, taclus yn ymledu'n flêr a chraciog cyn chwalu'n niwl ac yna'n ddim. Dim ond hen oglau budr a diflas yn mynnu aros yn y cof ac yn codi pwys. Canodd cloch yr ysgol i arwyddo diwedd yr awr ginio. Taflodd Jiwlia y sigarét i'r dŵr a thynnu'r tsiaen i'w boddi. Roedd Mags a Shar yn dal i chwerthin.

'Dwi 'di ca'l llond bol ar yr ysgol uffern 'ma. Mi awn ni am dro. C'mon.'

Wedi iddynt fynd, wedi i'r rhaeadrau beidio ac i ruthr y dŵr yn y pibellau ymdawelu, daeth y sigarét yn ôl i'r wyneb yn stwmpyn hyll yng nglendid y fasn.

I lawr wrth yr afon, ar y maes chwarae, roedd bechgyn y bumed flwyddyn yn chwarae rygbi. Gêm ddigon tila oedd hi ond gwellodd ymdrechion pob un o'r chwaraewyr yn sydyn pan ymddangosodd tair geneth o'r bedwaredd ar y gorwel.

'Sbia ar y boi 'na, Mags. W . . . w . . . am bishyn.'

'Iesgob, ia . . . 'drycha ar 'i goesa fo. O! dwi'n marw . . .!'

Datododd Mags, yn ddistaw bach, fotwm uchaf ei blows ysgol.

'Be ddiawl 'dach chi'n mwydro'ch penna efo hogia ysgol fel'na?' wfftiodd Jiwlia. 'Hen fala surion ydan nhw — yn tynnu dŵr i ddannedd genod fel chi ddyla wbod yn well. Dyn go-iawn 'dach chi 'i isio — dim hen lipryn anaeddfed fel acw.'

'A be uffarn wyddost ti am ddynion, Jiwlia? Fetia i'n het does 'na'r un dyn 'di twllu drws dy lofft di heb sôn am ada'l 'i ôl ar dy wely di.'

'Cau dy ben, Shar,' ysgyrnygodd Jiwlia.

'Hei, tempar, tempar . . .'

'Cau o, reit!'

Brasgamodd Jiwlia heibio i Woolworth's yn ei hyll. Be wyddan nhw? Doedd 'na ddim craciau yn eu plisg nhw. Roedd pob dim yn gyfan; pob dim yn saff. Yn ei gwylltineb baglodd dros blentyn bach a groesodd o'i blaen. Gwgodd ei fam arni a rhythodd hithau'n ôl. Be wyddan nhw, chwaith? Nadolig ddiawl. Ffenestri lliwgar yn gweiddi eu haddewid blynyddol mai hwn oedd *y* Nadolig; na fu ac na fyddai'r un gwell — tan y flwyddyn nesaf. Rhywbeth i'w fesur yn ôl graddfeydd medd-dod oedd ewyllys da. Am jôc.

'Hei, Jiwlia!' gwaeddodd Mags, ddau gam a herc y tu ôl iddi. 'Lle wyt ti'n mynd? Mi rwyt ti 'di colli dy ffordd, 'sti.'

'Y?'

'Ia,' ategodd Shar. 'Tydan ni'n mynd i'r arcêd, 'ntydan? Alli di ddim mynd yno ffor'na.'

'Iesgob, ma' isio sbio i'ch penna chi'ch dwy. Tydan ni'n dal mewn dillad ysgol, 'ntydan? Mynd adra i newid dwi, 'nde? Dyna lle dwi'n mynd.'

'Ond Jiwl,' cwynodd Shar, 'alla i ddim mynd adra. Dydi Mam ddim yn gweithio heddiw . . .'

'Na finna chwaith,' meddai Mags.

Gosododd Jiwlia sigarét yn ofalus rhwng ei gwefusau. Feiddiai hi? Ond pam lai? Welan nhw ddim; fyddan nhw ddim callach, meddyliodd. Taniodd y sigarét.

'O, olreit. Dowch efo fi, 'te.'

Heblaw am ddau ddyn yn saethu catrodau o greadur-iaid teircoes ar y peiriant yn y gornel a chriw o blant yn gwag obeithio am wneud eu ffortiwn ar y *penny roulette*, roedd yr arcêd yn wag, ond roedd ynddi ddigon o sŵn i ddeffro holl fyddin y fall, a digon o olau i'w dallu hefyd.

Wedi newid ei phapur pumpunt aeth Jiwlia i'r afael â braich y *fruit machine* ond bwyta'i cheiniogau prin yn unig wnaeth hwnnw heb wneud cymaint ag osgo i rannu'i gyf-oeth â hi. Gwgodd Jiwlia, ciciodd y peiriant ac aeth draw at Mags. Roedd honno ar ei phinnau yn foddfa o chwys yn byw i ddim ond i gael ei modur o gwmpas y gornel nesaf. Safodd Jiwlia yno i'w gwylio. Wyddai Mags ddim am y corneli go iawn, y perygl, yr ofn, y gwybod. Ia — gwybod.

Roedd hwnnw'n waeth na dim. Smalio roedd Mags. Teimlodd y dagrau'n dechrau cronni yn ei llygaid. Llyncodd ac edrych draw rhag ofn i Mags sylwi. Wnâi hynny mo'r tro.

Yr oedd Shar wedi taro sgwrs â'r ddau ddyn yn y gornel, a'i breichiau'n chwifio fel melin wynt gan gymaint eiddgarwch y siarad. Chwarddodd Jiwlia i'w llawes. Shar. Cês heb ei hail oedd hi.

'O damia!' ebychodd Mags wrth ei hochr. 'Sgin i'r un deg ceiniog arall.'

Yr oedd Shar wedi gadael y ddau ddyn ac yn gwau ei ffordd tuag atynt yn wên o glust i glust ac yn amlwg wedi cael gwynt rhywbeth go ddifyr. Bron nad oedd hi'n neidio mewn cyffro.

'Gesiwch be!' sgrechiodd dros y carped piws a brown. 'Dwi 'di ca'l hanes parti bril heno 'ma. Dydi o ddim yn bell o fan'ma — nymbar twenti-êt, Stad Coedlan. Ma' Dave a Chris am i ni fynd. 'Dach chi'ch dwy'n gêm?'

Tŷ cyngor, digon plaen yr olwg, oedd 'nymbar twenti-êt'. Yr oedd y drws wedi gweld dyddiau gwell a'r paent gwyrdd wedi hen golli'i lewyrch. Dihangai rhimyn o olau o'r adwy a adawyd rhwng y llenni. Nid oedd fawr o awch am barti ar Jiwlia ond fedrai hi ddim hel ei thraed rŵan. Neidio o'r badell i'r tân fyddai hynny.

'Wyt ti'n siŵr o dy betha, Shar?' holodd Mags. 'Wyt ti'n siŵr mai fan'ma mae o?'

Roedd yn galondid i wybod fod Mags hefyd yn cael munud fach wan. Unig ateb Shar oedd rhoi cnoc herfeiddiol ar y drws gwyrdd ac yna roeddynt ill tair yn cael eu sugno i ganol y golau a'r cyrff a'r cynhesrwydd. Diflannodd Shar a Mags i'r tŷ-bach i gyweirio eu lipstic. Nid oedd Jiwlia'n adnabod undyn byw yn y parti ond sythodd ei sgert fini, agor càn o gwrw a thanio sigarét. Ymddangosodd rhywun o'i blaen ac adnabu Jiwlia ef fel un o'r dynion y bu Shar yn cynnal sgwrs â hwynt yn yr arcêd y prynhawn hwnnw.

'Hei, Jiwlia . . . ia? Dave ydw i. Wyt ti'n joio?' Gwenodd Jiwlia a chwythu pwff o fwg i'w wyneb.

'Be wyt ti'n smocio? Ffag? Yli, cymra ddrag o hwn. Fyddi di ddim 'run un wedyn.'

Cymerodd Jiwlia'r sigarét a thynnu'n drwm arni.

'Hei, gan bwyll. Ti'm isio bod yn sâl, nagoes?'

Diflannodd Dave a'i sigarét od mor sydyn ag y daeth. Sylwodd Jiwlia bod Mags a Shar wedi dychwelyd o'r tŷ-bach erbyn hyn ac wedi mynd i sefyll wrth y ffenestr gan geisio eu gorau glas i ymddangos yn hŷn na'u hoed. Yfodd y cwrw ar ei thalcen a cherdded draw at Mags i ymorol am gàn arall.

'Mi gei di ddigon o gyfle i ddangos dy allu efo dynion yn fan'ma, yn cei Jiwlia?'

Agorodd Jiwlia'r càn cwrw. Tynnu'i choes yr oedd Mags wrth gwrs. Dim arall. Roedd y stafell yn troi ac nid oedd ei thraed yn teimlo'n rhyw sad iawn odani. Nofiodd wyneb Shar o'i blaen, ei llygaid fel peli a'i cheg yn agor a chau, agor a chau. Pysgodyn. Roedd Shar yn union fel pysgodyn a hithau'n edrych arni drwy waelod potel. Roedd rhywun yn chwerthin ymhell, bell yn rhywle. Hen chwerthin dwfn, araf a'i eco'n aros yn y cof fel petai'n dod o grombil mynydd. Yna sylweddolodd mai hi oedd yn chwerthin a chwarddodd fwy byth. Diflannodd Shar a nofiodd rhyw ddyn o'i blaen. Dyn.

' "Dyn go-iawn 'dach chi'i isio — nid hen lipryn anaeddfed fel acw." '

Peidiodd y chwerthin. Be wyddan nhw? Be ŵyr neb?

Roedd hi'n gorwedd ar ei chefn. Teimlai'r gobennydd yn gysurus braf dan ei phen. Bron na allai fynd i gysgu. Bron. Yr oedd rhywun ar y gwely gyda hi ac yn mwytho'i bronnau. Roedd hi'n oer, mor oer.

'Plîs peidiwch . . . plîs . . .'

Ymddangosodd sigarét o'i blaen ac yna wyneb Dave ymhell, bell y tu ôl iddi.

'Hei, c'mon, be sy? Isio drag arall wyt ti?'

Caeodd ei llygaid a phan agorodd hwy drachefn, roedd Dave a'r sigarét wedi diflannu. Ond yr oedd rhywun arall yno. Brwydrodd i foddi'r cyfog a godai o'r gwacter yng ngwaelod ei chylla a chyrliodd i fyny nes bod ei phen-gliniau yn cyffwrdd â'i gên.

'Na . . . peidiwch . . . plîs . . .'

'Dwyt ti ddim yn falch o weld dy hen dad, Jiwlia? Hogan pwy wyt ti heno, 'te? Hogan dy dad, debyg iawn . . .'

'Na . . . ia . . . plîs peidiwch . . . jyst am heno . . .'

'Mi rwyt ti'n falch o 'ngweld i, 'ndwyt, Jiwlia? Rwyt ti'n disgwyl amdana i bob nos, 'ndwyt?'

'Nag ydw . . . o plîs cerwch o 'ma . . .'

'Dwyt ti ddim yn meddwl hynna, nagwyt Jiwlia? Tasa dy fam yn fyw mi fyddai'n falch dy fod ti'n cadw dy hen dad yn hapus, 'sti. O bydda.' Oglau chwys a chwrw a mwg . . . ac ofn. Roedd hi ar gornel rŵan. Troi. Roedd yn rhaid iddi droi.

'Cerwch o 'ma, newch chi, yr hen fochyn budr i chi!' sgrechiodd. Ond Dave oedd yno a'i wyneb mor ddi-emosiwn â delw. Taflodd ei hun o'r gwely, bachu ei chôt, rhedeg i lawr y grisiau a'i heglu hi am y drws, ond wrth iddi ymbalfalu â hwnnw teimlodd law Mags fel gefel am ei braich.

'Babi clwt wyt ti. Hen hogia ysgol yn dda i ddim, meddet ti. Siarad gwag. Gwbod dim, nagwyt? Babi clwt.'

Ond roedd hi'n gwybod. Ddim yn dallt oedden nhw — ddim yn dallt. Yna roedd hi allan a'r gwynt main yn brathu'i bochau ac yn pigo'i llygaid.

Roedd y tŷ yn dywyll. Pwysodd ar erchwyn y bompren i gymryd ei gwynt ati. Llithrai'r nant yn ddu ac yn dawel odani.

'Hogan pwy wyt ti heno, Jiwlia? Y? Ha! . . . Ha! . . . Ha! . . .'

Hel ei ddiod yn y Crown yr oedd *o* heno'n ddigon siŵr.

Clapiodd gledrau'i dwylo am ei chlustiau i geisio'i bydd-aru'i hun rhag y chwerthin ond yr oedd yn atseinio yn ei phen cyn gliried ag erioed.

'Babi clwt . . . Gwbod dim, nagwyt? . . . nagwyt? Nagwyt? . . . Hogan pwy, Jiwlia? . . . pwy? . . . pwy? . . . pwy? . . . Ha! . . . Ha! . . . Ha! . . .'

Âi hi ddim adre. Ddim heno, beth bynnag. Trodd ar ei sawdl a physuro'i chamrau tua'r dref, tua'r golau.

GWRACH

Catrin Gerallt

'Blydi slwt!'

Saetha'r boen fel cyllell drwy fy wyneb; mae 'nghlustiau'n canu a blas hallt y gwaed ar fy nhafod.

Trof i'w wynebu a chwerthin — chwerthin yn uchel nes bod y sŵn yn atsain drwy'r tŷ.

Gadewch i mi ddweud wrthoch chi sut y tyfais i'n wrach.

Nid yn sydyn y digwyddodd e, cofiwch, ddim mewn fflach o wreichion melyn, fel yn y pantomeim. Na, yn dawel bach, heb yn wybod i mi a dweud y gwir. Yn union fel y mae diferyn bach o ddŵr, flwyddyn ar ôl blwyddyn, yn medru trawsnewid craig, fel yna, yn ddistaw a diffwdan y tyfais i i fod yn wrach. A dyna beth sydd wedi codi arswyd arna i.

Wrth gwrs, mae'n amlwg, hyd yn oed i mi erbyn hyn, 'mod i wedi newid. Dewch, edrychwch ar y llun yma dynnwyd gwta bum mlynedd yn ôl; priodferch hardd fel blodyn yn ei phenwisg wen, torch o lilis am ei thalcen, rhosys cochion ar ei gruddiau, a'i llygaid gwyrddlas mor ddwfn â'r môr. Does bosib mai fi yw honno?

'Gwywa y gwelltyn, syrth y blodeuyn'. Efallai taswn i heb fod mor ifanc, mor fregus, ond dyw lili'r maes ddim yn llafurio nac yn nyddu — ac mae priodferched yn eu gynau gwynion yn gorfod eu diosg yn o fuan.

*   *   *

'Rwyt ti mor brydferth,' meddai wrthyf, gan godi'r gorchudd dros fy mhen a'm cusanu. 'Paid byth â 'ngadael, rwy am dy garu di am byth.'

Roedd ei ben ar fy mron a'i gorff yn gwasgu rhwng fy nghluniau a minnau'n dyheu amdano; am ei wasgu ataf fel ei fod yn rhan ohona i.

Do'n i ddim yn gwbl ddiniwed, felly, roedd rhyw wylltineb yn fy nghorddi bryd hynny, er i mi wrthod ei gydnabod.

Yn wir, cleddais fy natur am flynyddoedd a chymryd arnaf fy mod yn ddof ac yn ufudd; ac arna i mae'r bai am hynny.

Bob bore, byddwn yn clymu fy nghyrls afradlon mewn piniau, yn cuddio fy nwylo mewn menyg rwber, ac yn mynd ati i dwtio a sgwrio nes bod fy nhŷ bach twt yn sgleinio fel palas.

A gyda'r hwyr, fe wnawn yn siŵr fy mod yn datod y piniau poenus fel bod y cyrls du yn byrlymu dros fy ysgwyddau, oherwydd bod tylwyth teg yn hardd; am mai fi oedd Sinderela wedi'i thrawsnewid, y dylwythen deg a fyddai'n gwneud i lwch a llanast ddiflannu gyda'i gwialen hud.

A wyddoch chi, am gyfnod hir credais fy nghelwydd fy hun.

Ac eto, liw nos, fe welwn sbeciau o lwch yn dawnsio yng ngolau'r lloer, miloedd ar filoedd ohonyn nhw, a gweoedd pry cop yn chwyrlïo yng nghorneli pella'r stafell, fel petaen nhw'n chwerthin am fy mhen ac yn gwybod, ar waetha f'ymdrechion, fy mod yn wahanol; y ferch o Lyn y Fan a welai'r byd o chwith, y dylwythen ddrwg a ddaeth i'r wledd i wneud drygioni.

Druan ohona i. Gwastraff amser oedd i mi frwydro yn erbyn fy anian, rwy'n gwybod hynny nawr. Ond bryd hynny, ro'n i'n dal i gredu mewn tylwyth teg er bod y gweoedd llychlyd yn fy rhybuddio yn eu herbyn.

Dim ond wedi geni Siôn, dair blynedd yn ôl, y sylweddolais fod pethau'n newid.

Ro'n i mor hapus, mor hapus â'r dydd i gael y creadur

bach hoffus yn gwmni. Deallwn ei fympwyon i'r dim; y ffordd y chwarddai, morio chwerthin nes bod ei gorff bach yn siglo i gyd; y ffordd y sgrechai yn ei dymer nes bod ei wyneb crwn yn ddu-goch a'i lygaid gwyrddlas mor dymhestlog â'r môr. Ro'n i'n deall, yn deall yn iawn.

Crynhoi mae'r cymylau duon, mae storm ar y ffordd. Yng ngolau creulon y fellten, mae olion traed brwnt i'w gweld drwy'r tŷ . . .

Mae Siôn yn sâl a minnau o 'ngho gan bryder am fy mab prydferth sy'n gorwedd mor ddiymadferth. Anghofiaf am y baw ar lawr, y tacluso a'r trefnu.

O bell, daw adlais y daran gyntaf . . .

Fin nos, mae gwres Siôn yn codi; daw'r meddyg i'w archwilio. Tynna'r thermomedr yn ofalus o'i gesail bach.

'Cant a phedwar,' meddai'n syber.

Am ddau ddiwrnod a dwy noson hir, cerddaf i fyny ac i lawr y stafell â phen Siôn yn llipa ar fy ysgwydd. Magaf fy mab bach crasboeth drwy oriau mân y bore; golchaf ei gorff mewn dŵr claear, sychaf ei dalcen a'i wallt sy'n wlyb gan chwys.

Ar y trydydd diwrnod, mae gwres Siôn yn gostwng.

Ond ar y drydedd noson mae'r storm yn torri. Rwy wedi drysu, wedi anghofio ei bod hi'n chwech y nos, yn amser swper. Mae'r gegin yn oer, ddigroeso, yr oergell yn wag ac mae briwsion ar lawr.

Tri chynnig i Gymro, medden nhw, dyna derfyn eu hamynedd. Wel, mae e wedi dal ei dafod ers dwy noson. Fedrith e ddal dim mwy.

'Edrych ar y blydi lle 'ma — sbia'r golwg sy arnat ti, y slwt ddiog!'

Rwyf wedi anghofio tynnu'r piniau hyll o 'ngwallt.

Yn ei dymer, rhuthra drwy'r tŷ fel corwynt nes bod drysau'n cau'n glep a ffenestri'n crynu. Mae'r twrw'n ddigon i ddeffro Siôn sy'n penderfynu cyfrannu at y sŵn drwy sgrechen yn fyddarol. Rhedaf at y grisiau i'w gysuro, ond mae rhywun wedi cydio yn fy mraich. Sgrechia Siôn yn uwch, o'i go gan ofn a siom.

Syllaf yn syn ar yr wyneb dieithr o'm blaen, yr oerni a'r styfnigrwydd yn y llygaid.

'Aros lle'r wyt ti,' meddai'n dawel.

Am y tro cyntaf ers blynyddoedd, daw fflach o fy natur i'r golwg.

'Na,' meddaf yn eofn.

CLEC! Mae'r fellten wedi fy nharo. Mae 'mhen yn troi a'm synhwyrau ar led i gyd. Rwy'n gorwedd ar fy hyd ar lawr a phum craith goch ar fy moch.

'Y blydi bits ddiog — y slwt ddigywilydd.'

CLEC! Mae 'mhen yn canu a'r foch arall ar dân.

Dau rosyn coch a dau lygad du; dyma fi yn y baw a'r llaca, syr, a chi a'm taflodd iddo — 'nôl i'r llaid ar waelod y llyn.

Ond, rwy'n bell o fod yno eto. Nid gwrach mo'r wraig sy'n cael ei churo — dyw hynny'n ddim byd newydd — ac nid gwrach mohono i bryd hynny.

Torrais fy nghalon ar ôl iddo fy nharo. Beichio crio, swnian ac ymddiheuro oherwydd fy mod i'n ifanc ac yn ddiniwed. Erbyn hyn rwy mor hen ag Adda ac mor galed â'r graig. Pan gofia i am y ferch eiddil yn ei dagrau, rwy'n teimlo fel chwerthin, chwerthin llond fy mol.

Do'n i ddim yn wrach, ac eto gwyddwn fy mod yn wahanol. Doedd neb o blith fy ffrindiau'n cael eu poeni gan weoedd pry cop, gan lwch a llanast.

Sbïwch ar Mari, fy ffrind gorau. Mae hi fel dryw bach o gwmpas y tŷ yn twtio a sgleinio.

'Yn dydan ni'n lwcus,' meddai wrthyf wrth iddi frysio o gwmpas ei chartref bach twt.

Edrychaf arni'n genfigennus. Lwcus? Beth sydd mor lwcus ynglŷn â'r frwydr feunyddiol tra bod y gweoedd pry cop yn troi'n herfeiddiol uwch fy mhen fel crocbrennau?

'O, mi fydda i'n mwynhau bod yn brysur,' medd Mari.

'Fydd fy nhraed byth yn cyffwrdd â'r llawr.'

Mae Mari'n ferch bert, annwyl; mae ei chartref fel pin mewn papur ac mae ei gŵr yn dod adref bob nos ac yn plannu sws fach ar ei thalcen llyfn. Dydw i ddim yn perthyn i'r un hil â Mari.

Fydda i'n casáu prysurdeb; well o lawer gen i eistedd am oriau i wylio'r cymylau yn hwylio'n uchel uwchben, a'r glaw yn diferu'i ddagrau ar hyd y ffenest.

Mae Mari'n poeni amdana i. Fe ddywedodd wrtha i,

'Os wyt ti'n teimlo'n isel, pam nad ei di allan o'r tŷ? Cer i'r dre i brynu sgarff neu lipstic.'

'Dyw hi ddim yn deall 'mod i'n mwynhau gorwedd ar fy ngwely a syllu ar y sêr. Fe geisiais esbonio unwaith, ond edrychodd hi arna i mor od fel y stopiais rhag ofn iddi ddysgu fy nghyfrinach.

Fel y Ferch o Lyn y Fan, rwy'n gweld y byd drwy ddrych y dŵr; yn chwerthin lle dylwn i grio, ac yn torri 'nghalon pan fydd pawb arall yn eu dyblau. Heblaw am fy mab bach gwyllt, fe fyddwn wedi hen ddiflannu yn ôl i'm cynefin.

Ond, dyw pethau ddim mor rhwydd â hynny.

'Pam na wnei di ddim ei adael?' medd Mari wrtha i'n bryderus. Does dim posib celu popeth oddi wrth Mari. Fe alwodd un dydd a gweld y clais ar fy moch a'r tolc yn y drws.

'Paid diodde dim mwy,' meddai.

Dyw hi ddim yn deall.

Ar sbectrwm y synhwyrau, dyw Mari, gyda'i thŷ bach twt a'i gŵr digyffro, ddim yn gwyro o'r canol llonydd. Beth ŵyr hi am y chwyrligwgan emosiynol sy'n troi'n ddi-rybudd o goch llachar i borffor oer, o gariad i gasineb ac yn ôl?

Sut gallan nhw fod mor ddall, mor ddiogel, y bobl barchus yma sy'n blodeuo ac yn crino'n dawel, ddi-ffwdan, fel llysiau? Faint maen nhw'n ei ddeall am freudd-wydion a gobeithion, am genfigen a siom?

Mi dwi'n deall; rwy'n chwech ar hugain oed ac mor hen ag Adda.

'Dyw'r ffaith ei fod e'n fy nharo, yn fy ngalw'n slwt ac yn bits ac yn hwren, ddim yn golygu nad yw e'n fy ngharu.'

'"Dyw cariad ddim yn mynegi'i hun drwy eiriau — dim ond drwy weithredoedd" — dyna ddarllenais rywdro, "ac weithiau," meddai'r llyfr, "dim hyd yn oed drwy weithredoedd".'

Dyw Mari ddim yn deall — ond mi rydw i. Dyw Mari ddim wedi'i weld yn ei ddagrau, ei lygaid llwyd yn pefrio, yn dweud ei fod yn fy ngharu'n fwy na dim.

Dyw hi ddim wedi'i weld, ei lygaid yn oer fel rhew, yn plygu fy mraich y tu ôl i 'nghefn, yn bwrw fy mhen yn erbyn y pared. Tybed sut fyddai Mari'n ymateb i hynny? Fe fyddai'n arswydo, yn sgrechen.

Ond, dwi ddim yn sgrechen. Mae 'nghalon mor galed â chledr ei law, a dyna beth sydd wedi ei wylltio.

Mi fues, wrth gwrs, yn gweiddi a sgrechen a llefen gymaint â neb. Ond dim nawr. Erbyn hyn, prin 'mod i'n clywed ei weiddi a'i fytheirio, prin 'mod i'n teimlo ei ddyrnau. Rwy'n wrach, yn ei herio heb yngan gair; yn ei gynhyrfu a'i gynddeiriogi. Pan fydd e'n fy nharo, fe fydda i'n chwerthin yn ei wyneb.

Chwerthin, chwerthin. Dwi ddim wedi crio ers dwy flynedd. Does arna i ddim ofn neb nac angen neb, heblaw am fy mab bach anhydrin sy'n rhan o 'nghnawd i.

A phan fydd Mari'n dweud y dylwn i adael a ffeindio gŵr arall, fedra i ddim egluro nad ydw i ddim yn dyheu am ddynion bellach. Rwy'n gorwedd ar fy ngwely yn llonyddwch y nos yn syllu i'r düwch ac mae disgleirdeb y sêr yn fy nenu mewn ffordd anesboniadwy. Sut medra i ddweud wrth Mari 'mod i'n breuddwydio am y sêr a'r lleuad, am ddüwch y nos a dyfnderoedd y llyn?

Cefais freuddwyd un noson fy mod yn eistedd ar gopa Everest lle'r oedd yr awyr mor bur a minnau'n teimlo'n ysgafn fel pluen. Tywynnai'r haul ar y llethrau rhewllyd, a chefais wefr o weld yr eangderau gwyn, llonydd.

Sut medra i ddweud wrth Mari fy mod yn ddedwydd, yn hapus fy meddwl a thu hwnt i siom, ac er bod fy nghorff mewn trymgwsg, bod fy meddwl yn hedfan, a'r hen frws yng nghornel y gegin yn fy nghludo i fyny rhwng y sêr a'r lleuad, lle gall neb fy mhoeni.

Rwy'n wrach, yn hedfan ar fy ysgub uwchben y toeau ac yn chwerthin am ben y gwragedd trafferthus a'u gwŷr diofal.

Fedra i ddim esbonio, a does neb yn deall, dim ond fy ngŵr, sydd wedi ei wylltio gan fy nieithrwch ac sy'n torri fy nghnawd ac yn agor fy nghreithiau am ei fod yn amau a wyf fi'n greadur o gig a gwaed.

Nid ei fai e yw ei fod yn briod â thylwythen ddrwg sy'n ei herio â'i gwallt hir du a'i llygaid gwyrddlas; sy'n gwrthod crio hyd yn oed pan fydd ei braich yn ddu gan gleisiau ond sydd, fel y ferch o Lyn y Fan, yn troi dagrau'n chwerthin.

'Bits oer, sguthan, hwren.' Fe sy'n iawn. Mae e'n ddyn, yn dymestl o synhwyrau a rhwystredigaethau, tra 'mod i heb deimlad o gwbl tuag ato fe na neb arall, bron â bod.

Ydw, ers dwy flynedd yn sicr, rwyf yn wrach.

Ond ddoe, wrth gerdded yn y parc gyda Siôn, fe welais ferch ifanc â llygaid gwyrdd, fraich ym mraich â'i chariad. Fe drodd yntau i'w hwynebu a'i thynnu ato, a'i chusanu mor awchus nes ei bod wedi toddi iddo, fel bod y ddau yn un.

Syllais arnynt fel taswn i wedi fy nhrywanu; aeth ergyd drwydda i fel bollt a theimlais fy nghalon gwrach yn chwalu'n filoedd o ddarnau mân.

Eisteddais yn ddiymadferth ar y fainc wrth i'r dagrau fy nhagu. Ac yno, o flaen pawb, dechreuais grio — crio fel plentyn ynghanol y sbwriel a'r dail crin.

WEDI'R GAWOD

John Rees Jones

Dechreuodd Maurice amau nad oedd pethau fel y dylent fod wrth i Eccles, yr is-reolwr, roi'r papurau cyfrifon ar ei ddesg. Roedd rhywbeth ffwrdd â hi a gochelgar gyfrwys yn y ffordd y gollyngodd nhw o'i law. Fel rheol, eu taro yno a wnâi, cystal â dweud, 'Dyna dy waith di, cer ymlaen efo fo.' Eu gosod yno fel pe bai arno gywilydd a wnaethai'r tro hwn.

'Ydyn nhw wedi cael rhywun yn fy lle i eto?' gofynnodd i Eccles. Nid oedd wedi meddwl gofyn, ond roedd Eccles wedi gwneud iddo deimlo mor annifyr nes y saethodd y cwestiwn allan trwy gongl ei geg fel carreg rawnwin lithrig.

'Na, chlywis i ddim sôn, Maurice.'

Mae o'n dweud celwydd, meddyliodd yntau. Dyna pam ei fod o'n sefyll a'i gefn ata i yn sbio trwy'r ffenest. Dyn crwn oedd Eccles a'i war yn bochio dros goler ei gôt ddu. I Maurice, edrychai'n union fel pe bai ganddo rywbeth i'w guddio rhagddo yn ei ddwylo. Ond gwag oedden nhw.

'Tri diwrnod arall ac mi fyddwch yn ddyn rhydd, Maurice.'

Dyn rhydd! Dyna a ddywedent i gyd. Fe'i hatgoffai o haid o bengwin cefngrwm yn sefyll ar ymyl y rhew, y naill yn gwthio'r llall i'r dŵr i gael gweld beth ddigwyddai. Ei dro ef oedd hi'n awr, ac ni wyddai beth i'w ddisgwyl. Ar y rhew efo'r lleill yr oedd ei ddiogelwch. Roedd bod yn rhydd yn ei ddychryn. Bod yn rhydd oedd breuddwyd pob un ohonynt. Ond bod yn rhydd i beth? Bod yn rhydd i ail-afael yn y pethau fu'n eu difyrru yn eu hieuenctid? Cawsai Maurice ryw foment glir o weld na allai hynny fyth fod. Roedd gormod o newid wedi bod, roedd ei gorff yn wannach a'i feddwl wedi setio i siâp y llestr. Dyna pam y gofynnodd i Eccles:

'Edrych ymlaen i'r gorffennol?'

'Y?' Trodd Eccles ei holl gorff ato ac edrych yn rhyfedd arno. 'Ia! Ia! Da iawn, Maurice. Da iawn. Ia. Edrych ymlaen i'r gorffennol.' Ailadroddodd y geiriau wrtho'i hun wrth fynd trwy'r drws.

Edrychodd Maurice i gornel yr ystafell lle'r oedd mur yn cyfarfod mur. Dros y blynyddoedd roedd o wedi edrych ar y llinell hon gannoedd o weithiau ond heb ei gweld. Yn awr daeth i ffocws, fel pe bai'n ei gweld am y tro cyntaf. Yn ystod y dyddiau olaf hyn gwelai bopeth mor llachar ag y gwnaethai y diwrnod y rhoes ei droed dros drothwy'r ystafell fechan lom yma yn agos i hanner canrif yn ôl. Cofiai agor y drws y diwrnod hwnnw a gweld y briallu mewn potyn ar sil y ffenest. Miss Kettering oedd wedi eu rhoi yno. Buasai hi farw'n sydyn ddydd Sul, ond roedd y blodau'n dal yn fyw fore Llun pan ddaethant ag ef i'w hystafell. Wedi'r holl flynyddoedd sylwodd eto ar y potyn. Ni fu blodau ynddo wedyn ond roedd düwch dŵr y blodau'n rhimyn o'i fewn. Nid oedd amser wedi dileu'r marc mwy nag yr oedd wedi dileu'r atgof o'r cynhesrwydd a'r bywyd a adawodd Miss Kettering ar ei hôl iddo ef. Ond beth oedd ganddo ef i'w adael i'w olynydd? Dim. Ni welai fod ganddo ddim i'w adael. Ond gadael i bwy? Dyna'r cwestiwn. Roedd Eccles wedi bod mor wyliadwrus. Tybed, meddyliodd, eu bod yn methu cael neb yn ei le? Ni allai ddychmygu y byddai neb yn ffitio mân ganghennau'r mowld yr oedd ef wedi ei greu yn ei fynd a dod beunyddiol.

Wrth blygu uwchben y cyfrifon teimlai'n hen ddyn. Roedd cudynnau brith ei wallt wedi eu brwsio'n ôl oddi ar ei dalcen nes bargodi dros ei goler o'r tu ôl. Daethai'n ymwybodol ei fod o'n edrych yn hen. Teimlai fod ei gorff yn drwm a bod ei symudiadau'n drwsgwl. Aethai ei lygaid yn gochion ac odanynt y bagiau duon llawn dŵr yn hongian ar ei gernau. Cofiai amdano'i hun yn dechrau y tu ôl i'r cownter, bryd hynny'n hogyn tal, tywyll. Ond doedd o ddim yn ffitio yn fan'no o gwbwl. Yr ochr arall i'r cownter, gwelai'r wynebau llwyd yn disgwyl wrtho. Fi ydi'r nesaf, meddent, rhowch i mi, welwch chi ddim 'mod i'n disgwyl? Roedd eu disgwyliadau'n ormod iddo. Roedd-ynt yn hawlio gormod ganddo, yn ei frysio trwy fywyd. Dywedai'r olwg freuddwydiol oedd arno na allai ef adael ei fywyd er mwyn plesio neb, er mwyn eich plesio chi yn eich sbectol a chitha sydd wedi troi i mewn i ddangos eich modrwyau. Dywedai ei lygaid: 'Mae ynof fi afon sy'n bwyta'r dorlan o dan eich traed ond welwch chi mohoni. All yr afon ddim brysio, mae hi'n glynu yn y dorlan ac mae hi'n ddofn.' Dyma fo rŵan wedi cyrraedd y terfyn a heb ffeindio pa mor ddwfn oedd y dŵr.

Gallai gadw cyfrifon yn iawn. Felly am fod Miss Kettering wedi marw, yn yr ystafell yma y bu am hanner canrif, ystafell ar y trydydd llawr yn wynebu'r cefn. Trwy'r ffenest gallai weld y ddinas odano, yn dai, siopau, ffatrï-oedd a swyddfeydd. Codent yn gybolfa flêr y naill tu ôl i'r llall nes cyrraedd y cyrion a oedd yn wastadol mewn niwl tenau. Roedd llinellau ac onglau, wyneb to a simnai yn fyd solet iddo, yn rhywbeth yr oedd o'n ei greu o'r newydd bob tro yr edrychai arnynt, nes yn y diwedd roedd y ffurfiau wedi mynd i mewn iddo a'i greu yntau, wedi mynd yn bethau na fedrai feddwl amdano'i hun ar wahân iddynt. Trwy'r ffenest gwelsai'r olygfa'n newid o awr i awr, o ddydd i ddydd, o haf i aeaf; fe'i gwelsai cyn iddi oleuo yn y bore, ac wedyn pan ddôi goleuadau dyn i'r llu ffenestri a'r strydoedd yn y pnawn.

Gwelsai belydrau'r haul ar ôl cawod o law yn ariannu rhyw do neu'i gilydd. Ni fyddai'r golau na'r cysgodion ar y cyrn na'r toeau byth yn edrych yr un fath. O'i ystafell edrychai i lawr ar ganopi'r ddinas, y canopi yma oedd yn cuddio'r cenfigen a'r casineb, y diystyrwch a'r deisyfiadau cam — y cawl cyntefig a elwid yn fywyd.

Yn awr, wrth edrych trwy'r ffenest, gwelai'r bobl yn fach yn yr iard islaw, ac ar draws yr iard y ceir, y bysiau a'r loriau'n ffrwd ddiddiwedd. I fynd adref byddai raid mynd trwy'r traffig, y bysiau a'r loriau'n poeri mwg ac yn ysgytian y stryd, fel pe baent yn barod i'w wasgu i lawr yn eu gwylltineb. Yma yn ei ystafell roedd ganddo bersbectif ac roedd arno ofn ei golli.

Er hynny, roedd o wedi cael y gorau o ddau fyd, ar y naill law wedi cael dianc o grafangau'r system, ac eto ar yr un pryd yn rhan ohoni. Yn rhan ohoni am ei fod yn rhan o'r Cwmni a bod y Cwmni'n cyfrannu i les y ddynoliaeth. Nid copïo ffigyrau moelion a wnâi ond cofnodi ffasiwn ac arferion y 'nhw mawr' oedd yn troedio o dan y canopi. Gwelsai'r Cwmni'n ehangu, canghennau newydd yn agor, nwyddau newydd yn cael eu gwerthu, ffasiwn yn cael ei chreu. Onid oedd o'n cael cyfle gan y Cwmni i weld calon cymdeithas yn curo? Hyn a'i galluogodd i rygnu ymlaen i gopïo ac adio'n ddiddiwedd ar hyd y blynyddoedd. Dyma'r modd roedd o'n talu ei ddyled. Yn y diwedd, mae dyn yn teimlo bod arno ddyled i ddyn. Mae arno eisiau dweud, 'Welwch chi be ydw i'n ei wneud er eich lles chi i gyd'. Ychydig ddyddiau eto ac fe ddôi pen ar y talu. Ni fedrai yntau beidio â gofyn beth fyddai ef wedyn. Beth yw dyn ar wahân i'w gyfraniad i'w gyd-ddyn?

Ond heblaw hynny, roedd ei waith wedi bod ganddo i ddychwelyd ato o bob helynt. Cofiai adeg claddu ei fam. Roedd ailddechrau gweithio wedi bod fel rhodd iddo.

Deuai Eccles i'w weld bob bore yn ôl ei arfer, dod â'i gynffon rhwng ei afl. Fawr o sgwrs. Ni ofynnodd Maurice iddo wedyn pwy fyddai ei olynydd.

Y bore olaf ond un, mewn atebiad i Eccles dywedodd:

'Bydd, mi fydd hi'n braf cael gorffen, ond mi fydda i'n colli rhai pethau.'

'Yr un un fyddi di wedyn, wsti,' oedd ei ateb.

Tybed, gofynnai iddo'i hun, tybed ai'r un a fyddai o wedyn? Yn sgîl y tybed hwn codai cwestiwn arall mwy anferthol a oedd fe pe bai'n crynhoi'r holl gwestiynau eraill. Roedd ei holl fod yn gofyn beth yw'r fodolaeth hon? Heddiw mae hi'n sefyll yn yr ystafell fach yma, lle mae'r silffoedd yn dal y ffeiliau llwyd, mae hi'n edrych i lawr ar y ddinas, mae hi'n copïo cyfrifon y Cwmni, mae hi'n rhan o'r ddynoliaeth. Wrth din-droi yma yn ei unfan, magodd ddiddordeb, cafodd bleser wrth i'w arferion bychain ddiferu drwyddo fel dŵr trwy bapur blotio. Ond yfory? Beth fyddai'r fodolaeth hon ar wahân i'r diferion hyn? Gafaelai'r cwestiwn yn ddiollwng ynddo nes ei barlysu. Roedd ganddo bump, deg, efallai bymtheng mlynedd o fyw o'i flaen. Blynyddoedd yn cael eu rhoi'n ddiamod iddo i wneud fel y mynnai â hwy. Beth wnâi â hwy? Beth wnâi pobl eraill â'u blynyddoedd?

Roedd o wedi gweld hen ddynion yn mynd o gwmpas y strydoedd yn y pnawniau, bag neges yn eu llaw ac yn bustachu â'u menyg. Ar y ffordd adref byddent yn mynd i'r parc i eistedd, wedyn yn oedi'n hir efo'i gilydd. Pe baen nhw wrth y llyw — y pethau fuasen nhw'n eu gwneud! Swnient fel snobs wedi taro ar amser gwan. Un diwrnod roedd dau ohonynt yn eistedd y tu ôl iddo yn y bws.

'Ofn sydd arna i, wsti,' meddai un wrth y llall. 'Ofn mynd allan yn y nos. Y petha ifanc yma ydi'r drwg. Wyddost ti ddim be wnân nhw. Yn y Plough un noson, yn y tŷ-bach, mi ddoth yna griw ohonyn nhw i mewn. Dechra gwthio a ballu. Ers talwm mi faswn i wedi eu leinio nhw. Roedd arna i ofn, wsti.'

Ai cam yn nes at hyn oedd ei ymddeoliad? Rhyw lithro'n ôl i gyffredinedd y donnen unffurf oedd yn ymrwyfo yn y ddinas islaw?

Wrth gwrs, roedd ganddo'i gartref a Kate yno i ofalu amdano. Kate oedd wedi ei achub i normalrwydd a hynny pan oedd yr haid yn dechrau ei amau fel maen nhw'n amau'r unig.

'Sut oedd petha heddiw?' fyddai ei chwestiwn di-feth iddo bob nos.

'Cangen fan-a'r-fan yn gwneud yn dda iawn o dan y manijyr newydd,' fyddai'r ateb efallai, 'ond am y lleill . . .' Ac ysgydwai ei ben.

'O, mae gin ti hen job efo nhw hefyd, 'ntoes? Tyd at dy fwyd.'

Beth fydden nhw'n ei ddweud wrth ei gilydd wedyn, unwaith y byddai ef wedi gorffen â busnes mawr y ddynol-ryw?

Yn ystod y dyddiau olaf hyn codai atgofion yn ddarlun-iau byw cryno yn ei feddwl. Pob darlun yn dweud wrtho: mae dy amser di ar ben. Roedd popeth y meddyliai amdano yn troi'n amser, fel Midas yn troi'r byd yn aur. Câi'r teimlad ei fod yn torri trwy amser ei hun tuag at y terfyn pan fyddai'n gadael y lle yma fel llongwr yn gadael ei long am byth. Bu amser pan syniai am ei bersonoliaeth fel gwaddol yn y banc a âi'n gyfoethocach bob blwyddyn wrth i'r llogau grynhoi. Yn awr roedd rhaid iddo ofyn beth oedd swm a sylwedd ei enillion. Edrychent yn ddibwys iawn. A ddeuai rhyw oleuni llachar iddo ar ystyr ei fod? A fyddai pethau cuddiedig yn cael eu hamlygu? Sylwedd-olodd mai disgwyl am waredigaeth neu am weledigaeth y buasai ar hyd ei oes, fel dyn yn disgwyl ennill ei ffortiwn. Wrth ymyl hynny, trimings oedd popeth arall.

Daeth y diwrnod olaf, a oedd yn wahanol i bob dydd a fuasai o'i flaen am nad oedd un arall yn dod ar ei ôl.

'Dyna'r lot olaf,' meddai Eccles wrtho, fel pe bai'n falch o hynny.

'Rydach chi wedi gneud cannoedd o'r rhain yn eich dydd, Maurice. Cyfrifiaduron fydd yn gwneud gwaith pob un ohonon ni yn y dyfodol. Oes y robot ydi hi.'

'Fydd neb yma yn fy lle i, felly?'

'Na fydd. Na fydd, Maurice. Oes galed ydi hi.'

Gallai Maurice dderbyn hynny. Mewn un ffordd roedd llawn cystal ganddo na fyddai neb yn ei le gan na fyddai cystadleuaeth wedyn.

Eddie ddywedodd y gwir wrtho amser te pnawn.

'Dwyt ti ddim yn gwybod, ynta, Maurice?' gofynnodd, gan ddal ei gwpan i fyny ac edrych drosti. 'Rydw i'n synnu atyn nhw'n peidio â deud wrthat ti. Wyddat ti ddim fod y cyfrifiadur wedi bod yn gneud dy waith di ers ugain mlynedd? Doedd neb yn y top yn gwybod. Mae o'n dipyn o embaras iddyn nhw. Talu dy gyflog di am ddim byd.'

Gwyddai fod ei wyneb wedi mynd fel y galchen. Teimlai fod ei holl gorff yn wyn drosto, a bod y gwynder yn treiddio o'i groen i mewn at ei fodolaeth, fel marwolaeth o'i fewn. Tybiasai fod ei waith wedi bod o fudd a lles i'r ddynoliaeth, ond yn awr roedd ei fywyd fel deilen fawr yr oedd lindysyn wedi bwyta talp enfawr ohoni. Dim ond rhidens oedd ar ôl.

Aeth yn ôl i'w ystafell. Roedd arferiad yn peri iddo eistedd wrth y bwrdd a dechrau copïo. Buasai hynny'n amddiffyniad iddo yn y gorffennol, ond bellach roedd y gaer wedi ei chwalu. Cofiodd am Eccles yn troi ei gefn ato. Ers pryd oedd o'n gwybod tybed, yn gwybod ac eto'n gadael iddo ddal ati i gopïo? Tan amser coffi, roedd o wedi gweithio yn ôl ei arfer, ond methai â gwneud yn awr. Beth oedd wedi newid? Yr un un oedd o, yn y bôn, yr un llofnod, yr un ffordd o droi ei de, ac o roi ei het am ei ben. Y gwahaniaeth oedd ei fod o wedi dod i wybod am oferedd ei weithgarwch. Anwybodaeth oedd wedi ei alluogi i ddal ati. Faint o bethau eraill yr un mor ofer, oedd yn guddiedig oddi wrtho? Yna meddyliodd am y lleill yn y gwaith, y rhai yn ddiau oedd yn cael hwyl am ei ben y munud yma. Faint o oferedd dirgel oedd yn eu bywydau, y pwysigrwydd bach yn gwthio i'r wyneb mewn ymadrodd neu edrychiad. Alffa ac omega eu bywyd. Eto roedden nhw'n hapus, yn union fel y bu yntau'n hapus. Ddim yn gwybod yr oedden nhw.

Daliodd i eistedd a myfyrio trwy'r pnawn, y pnawn rhyfeddaf erioed. Roedd o yma yn ei gynefin ac eto'n torri ar arferiad oes. O'i gwmpas, y muriau, y silffoedd ffeiliau, y potyn blodau, a thrwy'r ffenest yr onglau, y llinellau, y toeau a'r tyrau, ac roedd yna jac-do yn hopian ar un o'r simneiau. Edrychai'r cyfan iddo fel rhywbeth yr oedd dyn, ac ef ei hun o ran hynny, wedi ei ddwyn oddi ar natur, neu'n wir wedi ei ystumio oddi ar y duwiau. Bellach nid pethau i'w hymladd oedd y ffurfiau a'r siapiau hyn. Daeth chwithdod wrth edrych ar yr hen olygfa, ond chwithdod a oedd hefyd yn ddisgwyliad am ryw ehangu a oedd eto i ddod.

Ar draws yr iard yng nghwrt yr eglwys roedd coeden lwyfen fawr yn llawn dail. Roedd o wedi ei gweld lawer gwaith o'r blaen, ond yn awr sylwodd arni mewn ffordd syml. Roedd dail un brigyn mawr yn y canol wedi dechrau newid eu lliw. Gwelai hwy'n felyn fel coron yn yr haul. Roedd yn rhyfeddod iddo fod y dail eraill i gyd yn wyrdd. Gwnaeth edrych ar y goeden iddo deimlo'n llawen, ond am foment yn unig, fel rhwb o law terfysg yn disgyn ar y to yn y nos ac yna'n peidio. Ymweliad. Rhywun yn galw ac yna'n mynd. Wedyn teimlodd ei fod wedi cerdded dros y lwmp o fynydd a alwai'n fywyd. Bellach roedd y mynydd y tu ôl iddo, ac yntau'n cael caniatâd i gerdded y gwastadedd o'i flaen.

Y CYW GOG

Edward Jones

O'r harbwr, edrychai rhes tai Trem y Don mor lliwgar â lein ddillad mewn barics, ar wahân i Noddfa, y pedwerydd tŷ o'r naill ben a'r llall. Yno roedd Tomos Robaits wedi rhoi ei gap pig ar hoel, rai blynyddoedd ynghynt. Nymbar Ffôr oedd yr unig dŷ yn y rhes nad oedd gan y Cyngor hawl arno bellach.

Hwylio'i hun i fynd am y Pwyllgor Tai a Dyledion Rhenti roedd Tomos pan sylweddolodd yn sydyn nad oedd ganddo fawr o amser i'w sbario.

'Elin!'

Ond nid oedd llef na neb yn ateb, a'r distawrwydd llethol yn dyheu am gael ei dorri ag 'Ia, Tomos?' Elin Robaits, rywle tua'r llofft ffrynt.

'E-L-I-N!'

Taranodd yr ail 'Elin' drwy barwydydd Nymbar Ffôr, Ffeif ac yn arbennig trwy waliau tenau Nymbar Thri.

Synhwyrodd Elin Robaits fod rhywbeth mawr ar fynd o'i le i lawr yn y gegin. Ysywaeth, yr oedd ei 'Ia, Tomos?' yn rhy hwyr. Roedd Tomos eisoes ym mherfedd y drôr wrth ymyl y cloc, yn datgymalu crysau a choleri fel rotweiler mewn siop ddoliau clwt.

Ni chymerai Ap, sef mab Elin Robaits, oedd yn ei hefrian hi ar y *chaise-longue*, ddim mwy o sylw o'r cynddeiriogrwydd ysbeidiol hwn na phe bai yn gweld *rabies* ar ganeri Wil Jôs, Nymbar Ffeif.

O'r bwndel coleri a syrthiodd i'r llawr dros ymyl y drôr, crafangodd Tomos am un oedd o leiaf ddau seis yn rhy fychan iddo, a chydag un llygad ar y cloc wyth-niwrnod oedd ar chwarter-i, a'r llygad arall bron hanner cau yn yr ymdrech i gael dau dafod y goler i ddod gyferbyn â thyllau 'band' coler y crys, sylweddolodd nad oedd y stŷd ganddo.

Heb ollwng gafael ar ei brae, a'r goler bron â'i dagu, estynnodd ar flaenau'i draed i gyfeiriad ecob pen-blwydd Ap yn bedair oed, a diwrnod claddu ei dad, meddan nhw. Plannodd ei 'fys yr uwd' i berfedd yr ecob.

Mor sydyn â phe bai wedi byseddu neidr mewn nyth dryw, tynnodd ei fys o'r ecob â *drawing pin* felen finiog yn hongian fel giard wrtho.

Trodd at Ap, oedd braidd yn rhy hir i'r soffa, gan fwriadu . . . ond ymataliodd rhag syrthio i'r demtasiwn!

'Y mynci gwirion; gadael peth fel'na mewn ecob o bob peth! Nefo'dd mi rwyt ti'n ddwl! Yn ddwy ar hugain oed, a dyma . . .' bytheiriai Tomos.

Erbyn diwedd y llith, rhwng ymdrech ac ochenaid, llwyddodd Ap, rywsut, i'w ddadgordeddu ei hun o'r crafat coch a gwyn oedd hyd at ei draed a'r gwifrau a'r *head-phones* — hualau'r geriach a'i carcharai wrth Radio City, ble bynnag oedd honno!

'Arno fo roedd y bai na fatha fo wedi cyrradd mewn pryd. Rydw i wedi gyrru'r preth iddyn nhw erth mitho'dd,' medda fo.

'A phwy 'di'r *o* 'ma felly?' holodd Tomos gan ddal i sugno pen ei fys fel pe bai'n deth lwgu.

'Wel, Elfith, 'te?' meddai Ap.

'Pa bryd wyt ti am dyfu i fyny, dŵad, y twmpath dwl?' sgyrnygodd Tomos yn ei wyneb cyn mynd ati'n fwy gwyliadwrus y tro yma i fodio'r ecob ar ben arall silff y *Presents from* . . .

Â'i glustiau'n dechrau gwynnu a'i ddau lygad hanner cau fel 'dau lafn yn diwel ofnau' llwyddodd y stŷd newydd, rywsut, i lithro rhwng bys a bawd a rhowlio ar ei cholyn lleiaf o dan y soffa.

Yr un mor sydyn, deifiodd Tomos ar ei hôl a'i eirfa yn sawru o heli'r môr, gan nad oedd Elin o fewn clyw, yn ei feddwl o.

Roedd Elin newydd gyrraedd y tro yng ngwaelod y grisiau ac ar agor ei cheg i ddweud rhywbeth wrth ei gŵr, na'n wir, ei hail ŵr, pan welodd gysgod Leusa Ifans, Nymbar Thri, yn t'wllu'r lobi. Oedd, roedd hi wedi clywed yr ail 'Elin' mor blaen ag Elin ei hun, os nad yn gliriach.

Rhythodd Leusa am eiliad neu ddwy bob yn ail ar Elin yn ei phulpud ac ar Tomos, ar ei fol o dan y soffa.

'Nefo'dd, dwi'n licio dy hwfar newydd di, Elin, mae o'n . . .' Ond roedd Elin wedi rhoi tro ar ei sawdl am ddiogelwch y llofft.

O dipyn i beth taciodd Tomos ei hun allan o dan y soffa a daeth i'r golwg â'i farf a'i wasgod yn fflyff i gyd ac yn poeri blew cath o gornel ei geg.

'Ydi wir dduwc, mae o'n un da hefyd,' ychwanegodd Leusa. 'Ll'neuwr iawn . . .'

'Mi ddylia bod ginoch chi ddau,' brathodd Tomos, heb flewyn ar ei dafod erbyn hyn.

'Ella hynny,' meddai Leusa, wedi cael pwyth go drwm. 'Ond, cofiwch chi Tomos Robaits, 'toes ginoch chi ddim merch i neud llanast o gwmpas y lle, fath â fi. Diolchwch, ddyn, mai un mab sydd gan Elin.'

'Dwi'n gneud hynny bob dydd, Leusa Ifas.' Goslefodd Tomos yn fwriadol.

'Ma' rhagluniath wedi bod yn garedig iawn wrthach chi, 'swn i'n deud,' rhygnodd Leusa 'mlaen. 'Ond dyna fo, mi fydda Mam druan yn deud bob amsar mai cryduriad anniolchgar oedd llongwrs, a mi roedd hi'n iawn hefyd!'

'Diawch, erbyn meddwl, mi ddylia hi wybod yn well na neb yn y pentra 'ma, mae'n siŵr. Mi fuo hefo dega ond phriododd hi'r un, naddo Leusa?'

'Fasa dim rhaid i Elin druan fod wedi bod ond mymryn bach mwy amyneddgar na fasa hi wedi cael gafael ar ail ŵr cystal â'r cynta bob dydd,' brathodd Leusa gan ysgwyd ei phen tra'n cusanu gofidiau ar bwys y drws cefn.

'Leusa Ifas, wyddoch chi mai trasiedi mwya fy mywyd i

fu gollwng 'ych hanner brawd chi dros ymyl y llong i ddyfndero'dd y Caribî yn ei wasgod blwm, a gwaeth na hynny i mi ddigwydd bod yn hen lanc 'run pryd,' meddai Tomos dan ddal i frasbluo'i locsyn cringoch.

'Nefo'dd rydach chi'n gradur anniolchgar, Tomos Robaits. Cael buwch a llo wrth ei throed hi am bris swynog a dim thanciw i raglu . . .'

'Rydach chi'n iawn am y llo, mae'n hynny'n siŵr, Leusa; chafodd neb well llo, naddo 'rioed! Tydi o'n gneud dim ond yfad y sothach pop yma drwy'r dydd, ar wastad 'i gefn yn fan'ma. Neith hyd yn oed y cathod ddim meiddio neidio ar y soffa rhag ofn iddyn nhw gael eu gwasgu i farwolaeth gan y syrcloth Ap yma.'

Ni chlywodd Ap yr un gair o'r fatel eiriol hon. Siglai ei gorff a'i draed a'i goesau, heb sôn am ei ben, i rythm miwsig anghlywadwy i bawb arall, yn union fel pe bai cyffylsiwns arno, a lledaenai gwên angylaidd, arallfydol dros ei wyneb pan ddihangai ambell sgrech ddieflig o berfedd y 'clustiau rwber'. A daliodd i fesur hyd y *chaise-longue*.

'Yn saff ichi, mi fydd dryms clustia hwn yn rowlio fel marblis hyd y llawr 'ma ryw ddiwrnod,' crechwenodd Tomos.

Trawodd yr wyth-niwrnod saith o'r gloch a gwyddai'r cynghorydd ei fod eisioes yn rhy hwyr i'r Pwyllgor Tai a Dyledion Rhenti yn festri Pen Cei y noson honno. Pwyllgor brys oedd ar y gweill, ond ni wyddai ar y pryd pa mor edifar fyddai ganddo ei golli.

'Mae gan y trychfil yma'r ddawn i roi sbrag yn olwyn rhagluniaeth ei hun,' meddai Tomos, wrth drio gwneud cwlwm tei am y pumed tro, a chydiodd yn radio law Ap a'i lluchio fel seren gynffon drwy ddrws y gegin i'r parlwr bach ac ar beth alwai Elin y *settee*. Yr un foment, boddwyd sŵn hunllefus, hyrdigyrdïol y Panasonic gan 'Ma-a-a-am' y 'celdrych' — chwedl Tomos.

Yr eiliad nesaf, fel ymateb iâr ori i'w hunig gyw, clywid sŵn traed mân a buan Elin ar y landin, y tu allan i ddrws ystafell 'gaeafgwsg' Ap. Fan'no roedd Elin wedi bod trwy'r rhan fwyaf o'r pnawn hefo powlaid o bwti yn cau tyllau *drawing pins* yng nghefn drws y llofft, a edrychai fel petai wedi bod yn fwrdd brecwast priodas i holl *woodworms* yr ardal, chwedl Tomos.

Yno y crogai Cliff, The Saints, Tommy Steele a hwnna-hwnna Mick Jagger, a chuddiai'r posteri ar y pedair wal frech arall o effeithiau'r crogi.

Fel pe bai wedi cael *forced landing* ar ei hysgub, safai Elin Robaits ar dro'r grisiau a than ei threm herfeiddiol gwywai'r *geraniums* a Tomos fel pe bai wedi eu taro â barrug.

'Ia, Tomos,' chwyrnodd dan ei dannedd. Dim mwy!

Gallech glywed gwichiadau coed y grisiau mor blaen â feiolin mewn cerddorfa wrth i Elin droi yn ôl at ei gorchwyl.

Crafangodd Ap yntau am ei radio law cyn mynd ati i ailfesur hyd y *chaise-longue* yn ei gocŵn o grafat a weiars, ac yn ôl moshiwn Ap roedd yno ryw grŵp arall, wedi ei godi ar de senna a chrisps, yn cael hwyl anfarwol ar forthwylio'r drymiau nes bod y clustiau rwber ac ogla deifio arnyn nhw!

'Duw a ŵyr be ddaw o'r genhedlaeth yma heb sôn am y nesa!' bytheiriodd Tomos.

'Na finna chwaith,' ebychodd Leusa fel pe bai'n falch o gael modfedd o dir cyffredin dan ei thraed. 'Cymrwch chi Molly 'cw rŵan, mi watsith y cnap glo dwaetha yn rhoi'r winc ola yn y grât acw, ond 'dach chi'n meddwl y codith hi i nôl rhawiad arall? — Dim ffiars ichi. Mi fasa'n well gyni hi gael niwmonia! A wyddoch chi, Tomos Robaits, bora ddoe 'te, mi ollyngodd botal lefrith ar garreg drws ffrynt 'cw. Llefrith fel ffatri Cadburys dros bob man. Sychodd hi o? Nefar! "Marmaduke," meddai hi wrth yr hen gath deircoes acw, "Marmaduke — brecwast!" Ffact i chi, a Marmaduke ll'nuodd y step.'

'Roeddwn i'n meddwl bod yna fwy o sglein arni nag arfer, Leusa,' meddai Tomos gan bwysleisio'r 'sglein'.

Cyn i Tomos ddechrau arni i ailhogi'r cyllyll, clywodd wich y ddôr gefn a sŵn fflachod ar y llwybr teils anwastad, a chyn iddi ddod i'r golwg, heb gael dim ond cip ar ei chysgod rhyngddi a'r llafn haul ar ôl swper yn y cefn, 'Molly 'di hon,' meddai Leusa yn gwta.

'Ia, wedi'ch colli chi, mwn,' meddai Tomos yn awgrymog.

Ond roedd Leusa wedi'i wejo ei hun yn soled yn ffrâm y drws cefn. Ia, Molly oedd yno. Yr un hen sigarét feddw yn hongian o gornel ei gwefus isaf, a'i cheg ar sgiw fel pe bai wedi dod oddi ar ei hinjis wrth gnoi cymaint o *chewing gum*.

Gan na allai syflyd ei mam o'r ffrâm drws, fe'i stwffiodd ei hun dan gesail flonegog Leusa, a'i sbectol gwaelod-pot-jam yn creu'r argraff ei bod hi ei hun ymhell yn rhywle, a'r cyrlars bob-lliw yn y gwallt a'r rhubanau i fatsio, yn gawod seicadelig.

Caeodd ac agorodd Tomos ei lygaid mawr brown deirgwaith bedair fel tylluan yng ngolau car, ac wedi iddo gael ei wynt ato, meddai, 'Lle'r oedd y preimin hiddiw, 'ta?'

'Dim chi dwi isio'i weld, eniwe,' meddai Molly'n sychlyd. 'Elin Robaits; ydi hi yma?'

'Dyma fi; mi ddo i i lawr rŵan, 'mechan i — dim ond un twll dwi isio'i gau eto; fydda i ddim dau funud. Welis i rotsiwn beth â'r hogyn 'ma, naddo wir, tawn i byth o'r fan 'ma! Ond wedyn . . .'

Wrth i Elin Robaits wichian ei ffordd i lawr y grisiau roedd tawelwch y gegin yn tagu Tomos, ac meddai gyda gwên ddichellgar ar ei wyneb, 'Ylwch, Molly, os ydach chi wedi dod yma i fenthyca te, siwgwr, llefrith, ne . . .'

'Dim byd o'r fath, Tomos Robaits,' meddai Molly ar ei draws.

'Tydach chi 'rioed wedi dod yma i ddeud wrtha i 'ych bod chi am ddechra talu'n ôl! Elin, fydd dim isio i ti fynd i siopa am wsnosa. . . A pheth arall, Leusa . . .'

Erbyn hyn roedd Elin yn ei phulpud.

'Ia, Tomos,' meddai'n awdurdodol, a fferrodd y 'peth arall' ar wefusau Tomos Robaits.

Aeth distawrwydd fel barrug rhwng coesau'r bwrdd-lêff a rhoes Ap beswch o'i wâl i ddangos ei fod yn fyw.

'Wel,' meddai Molly o'r tu ôl i'r telisgôps, 'gan 'ych bod chi i gyd yma, ma' gin i *news* ichi. Rydw i am briodi!'

'Wel myn dia . . .'

'Tomos!' meddai Elin, ac aeth rheg arall i *deep freeze* iaith forwrol Tomos.

'Wel myn diawch, chlywis i ddim gwell *news* ers blynyddoedd. Wel da 'te; mi wnei gamp i dy fam — a dy nain o ran hynny!' mynnodd Tomos.

'Pa bryd, Molly bach?' gofynnodd Elin yn foesgar i drio cael y llong yn ôl ar ei chil. 'Pa bryd?'

Lledaenodd gwên foddhaus dros wyneb Tomos a syndod dros wyneb Leusa, ond daliai Ap yng ngefeiliau'r cyffylsiwns.

'Ia, pa bryd, Leusa?'

'Wel, cyn gynted ag y medra i, Tomos Robaits — medda'r doctor,' meddai Molly dan ei gwynt.

'Ew! Biti, achos mi fasan ni fel teulu, Elin a fi ac Ap, yn licio cael amsar i gael present bach iti ar achlysur mor arbennig â hwn, yn basan, Leusa?'

Ond roedd ceg Leusa dan glo'r sioc!

'Peidiwch â thrafferthu mynd i chwilio am bresant i mi, achos mi rydw i wedi cael un — gan Ap,' a thynnodd gledr ei llaw dros fwa'i disgwyliadau. 'A dyna pam y byddwn ni ein dau — Ap a fi — yn ei martsio hi i lawr i'r *Regency Office* 'na'n reit fuan . . .' meddai Molly'n awgrymog.

‘*Registry Office* wyt ti’n ’i feddwl, y lob,’ medda Leusa dros ei hysgwydd.

‘Ia, mi neith fan’no’n iawn, ’ta,’ meddai Molly.

Yn ara deg torrodd gwawr gollyngdod mewn gwên o glust i glust dros wyneb Tomos. Nymbar Ffôr *minus* Ap. Nefoedd wen! Tawelwch o’r diwedd! Roedd hi wedi bod yn werth holl derfysgoedd y pum mlynedd diwetha i gael clywed y *news* yma.

‘A deudwch wrtha i . . . lle . . . lle ’dach chi’n mynd i fyw?’ gofynnodd Tomos, yn gynhyrfus, ddisgwylgar. ‘I mi gael prynu soffa ne . . .’

Camodd Molly drosodd at y soffa; tynnodd yr *headphones* oddi ar glustiau Ap.

‘Dwêd wrth Tomos Robaits lle ’dan ni’n mynd i fyw, cariad,’ gwaeddodd yn ei glust.

‘Yma, ’te, cariad,’ grwniodd Ap. ‘Dwi ddim ithio mynd o fa’ma.’

Dadebrodd Leusa drwyddi. Fferrodd Elin fel gwraig Lot yn ei phulpud.

‘Glywist ti, Elin? Hwn, ia hwn, cofia, yn gorfod priodi honna ac yn disgwyl un arall ’run fath â . . .’ meddai Tomos o binacl ei anghrediniaeth.

Cydiodd Elin yn narnau teilchion ei hurddas ac meddai,

‘Eu busnas nhw ydi o Tomos,’ ac mewn hanner llewyg ychwanegodd, ‘Chwara teg iddyn nhw am feddwl trio salfejo rhywfaint o enw da’r teulu, hyd yn oed o sefyllfa fel hyn!’

‘Ond ylwch, mewn difri — mi fydd yna dri ohonoch yma . . .’

‘Pwy soniodd am dri?’ glyfeiriodd Molly. ‘Pedwar!’

Daeth atal dweud ar Tomos am y tro cyntaf yn ei oes.

‘Ne . . . nef . . . nefoedd. Fy . . . fy . . . fawr. Hw . . . hwn . . . yn dad i efeilliaid! Ne . . . ne . . . nefar!’

‘Tydach chi ddim yn trio dallt, nac ydach, Tomos,’

meddai Elin oedd yn sefyll fel Ming *vase* yn ei phulpud. 'Molly, Ap a'r babi . . .'

'A Mam!' ergydiodd Molly. 'Dyna ichi bedwar, 'te!'

Pan gafodd Tomos ei wynt ato, medda fo, 'Ond, ofynnoch chi ddim i mi, naddo — dim un gair!'

'Naddo, debyg,' meddai Molly dan grechwenu. ' 'Dach chi'n gweld Tomos Robaits, doed dim rhaid inni, nagoedd Ap?'

Elin Robaits atebodd. 'Wel, erbyn meddwl, nagoedd, siŵr iawn, achos Ap gafodd Nymbar Ffôr ar ôl ei nain, druan. Ma'r 'wyllys yma'n rhywle!'

'A Leusa? Sut gyth . . .!'

'Dyna ddigon, Tomos, a gino ninnau briodas yn y teulu a phob peth!'

Llyncodd Tomos ei boeri deirgwaith cyn medru ail-gychwyn.

'Leusa! Sut mae *hi* yn mynd i landio yma? Dwi'n gwybod ei bod hi wedi hanner byw arnan ni ond tydi hynny ddim yn rhoi gwarant iddi i fyw hefo ni!'

'Gwrandewch chi, Tomos Robaits,' meddai Molly, 'i chi mae hi i ddiolch am hynny, achos ar y ffordd yn ôl o'r bingo gynnau pwy welis i ond Dic Punt yr Wythnos, clarc 'ych Pwyllgor Dyledion Rhenti Tai Cyngor, a fory ne drennydd mi fydd Mam druan yn cail notis-tw-cwit ne *conversion order* ne rwbath, medda fo.'

'*Eviction order* wyt ti'n feddwl,' meddai Ap, yn sglaig i gyd.

'Ia, dyna fo — hwnnw mae hi'n ga'l, ma'n siŵr — mewn ffrâm neis. Mi fydd yn falch o ga'l ei roi o iddi, ei hun, medda fo. Mi gariodd y penderfyniad i'r wal hefo un fôt dros y lleill, medda fo. Doeddach chi ddim yno, nag oeddach, Tomos Robaits? Biti. 'Mond o un fôt! Bechod!'

'Ia, biti uff . . .'

'Tomos!' a rhewodd cuwch Elin holl lifeiriant geiriol Tomos ar ei dafod yr eiliad honno.

'Roeddwn i'n deud o hyd y basa'r lleban dienwaededig yma'n rhoi sbrag yn olwyn rhagluniaeth 'i hun pe câi eiliad o gyfle, a dyma fo wedi . . .'

'Cofiwch 'ych bod chi'n siarad hefo dyn — rŵan — Tomos,' meddai Elin yn finiog.

'A'ch lanlord hyfyd!' ychwanegodd Molly yn wawdlyd, ffroenuchel.

* * *

Dridiau wedi'r ecsodus dros ben y wal o Nymbar Thri, llithrodd Tomos Robaits o Nymbar Ffôr fel slywen o ffos; ei rencot ddu dros ei ysgwydd a holdol ym mhob llaw a'i gap pig tu-ôl-ymlaen! Roedd hi'n saff o dywyll a hithau'n ddim ond pedwar y bore.

Brasgamodd ei ffordd i lawr i'r cei. Roedd *Ocean Prince* y cwmni a gludai'r llythyrau yn ôl a blaen rhwng yr ynys a'r tir mawr yn gadael am chwarter wedi.

Ac yntau'n anelu am y gangwe cyfarchwyd Tomos gan Bunt yr Wythnos; 'Wedi codi pinas yn go fora hiddiw, Tom!'

'Do,' swta oedd ateb Tomos i awgrym y postman lleol.

'Mynd yn go bell hyfyd ddyliwn i, hefo'r llwyth yna i gyd! Fforin?'

'Ostrelia,' atebodd Tomos, 'os nad ydyn nhw wedi ffeindio rhywle pellach erbyn hyn,' a diflannodd fel llong heb angor i grombil y tywyllwch boreol.

CWMNI

Myfanwy Bennett Jones

'Maen nhw tu ôl i ti!'

Neidiodd Ceinwen yn ei chadair gan droi i'r cyfeiriad y syllai ei mam iddo.

'Bobol mawr, Mam, be sy 'na?'

'Ar y dresal yn fan'na! Yli — yn ista ar y silff! Yr hen greaduriaid bach hyll — ewch o 'ma!'

Edrychodd Ceinwen ar ei mam mewn syndod. Gwelsai hi'n graddol lesgáu ers rhai blynyddoedd, ond ymfalchïai mewn gallu dweud ei bod 'yn 'i phetha' ac yn ymddiddori ym mhawb a phopeth. Hyd yr eiliad yma. Nid gwraig yn ei llawn reswm a eisteddai gyferbyn â hi'n awr, yn sicr.

'Be yn union ydach chi'n ei weld?' holodd yn betrus.

'Wel, rheina, yr hen ddynion bach melyn yna sy'n dringo hyd y dresal ac yn gwneud stumia. Chwerthin am 'y mhen i maen nhw o hyd. Dim cydymdeimlad . . . dim cydymdeimlad,' meddai gan ysgwyd ei phen ac edrych i lawr ar y dwylo cnotiog a wasgai ei gilydd ar ei glin.

Cododd Ceinwen a tharo'r golau ymlaen.

'Be ti'n rhoi'r gola'r amser yma o'r dydd?'

'Wel, mae'r dydd yn byrhau rŵan, Mam. Mae'n hawdd iawn meddwl eich bod yn gweld petha sy ddim yna, rhwng dau ola.'

'Ddim yna? Welaist ti mo'r dynion bach 'na?' Roedd anghrediniaeth yn llais Catherine Morris.

'Cysgodion oedd 'na, siŵr i chi,' ceisiodd ei merch ei darbwyllo. 'Ylwch, mi gymwn ni banad ein dwy.' Ac aeth tua'r gegin gan adael ei mam yn dal i ysgwyd ei phen a'i golwg wedi ei hoelio ar y dresel gyferbyn.

Byddai Catherine Morris wrth ei bodd bob amser â

defod y 'te bach' wrth y tân, pan na fyddai ond ei merch a hithau yno. Os byddai'r plant yn bresennol rhaid fyddai bwyta wrth y bwrdd yn daclus, wrth reswm.

Erbyn hyn aeth y dieithrwch heibio, a bu'r ddwy yn sgwrsio am deulu a chydnabod, am gapel a chymdeithas, yn ôl eu harfer. Ond ni allai Ceinwen gael gwared â'r anesmwythyd o bwll ei stumog, wrth feddwl am y cymhlethdod a ddadlennwyd ym mhersonoliaeth ei mam.

'Ylwch, Mam,' mentrodd yn ofalus, 'beth am ddod adra hefo fi am ddiwrnod ne ddau, am newid bach?'

'Newid! I be ti'n meddwl fod angen newid arna i?'

'Wel, dim ond gweld y gaea'n dechra tynnu i mewn a chitha'ch hun yn fan'ma, a digon o le acw fel y gwyddoch chi, a'r plant yn gwmni . . .'

'Mi ddo i dros y Dolig fel arfar. Ma gin i gartra bach clyd ac mi wna i'n iawn tra medra i.'

* * *

'Rhyw ddiffyg ar yr ymennydd am ychydig eiliada oedd o, siŵr i ti; rhyw nam bach ar gylchrediad y gwaed. Ma' petha fel'na i'w disgwyl pan mae rhywun wedi mynd i oed, ac mae dy fam wedi dal yn rhyfeddol. Ac mi oedd hi'n iawn wedyn, 'toedd?'

Wrth eistedd ym moethusrwydd ei lolfa a Rhun yn ei hymyl, roedd yn hawdd iawn ymdawelu. Diolch ei fod o bob amser mor rhesymol, meddyliai.

'Oedd, roedd hi fel hi'i hun wedyn. Ia, dyna oedd o, mae'n siŵr,' cytunodd. 'Mi alwa i ar fy ffordd o 'ngwaith fory i weld sut hwyl sy arni.'

'Dyna ti, ac os byddi di'n dal yn bryderus, digon hawdd gofyn i Dr Williams fynd i'w gweld hi.'

Drannoeth, bu raid i Ceinwen ffugio colli maneg fel esgus dros ymweliad arall mor fuan. Roedd ei mam yn ei hwyliau arferol, yn disgwyl cymdoges ati i dreulio'r min nos. Llwyddodd y ferch i ymatal rhag galw weddill yr wythnos, a phan gaent sgwrs ar y ffôn ni chawsai ddim achos pryder.

Erbyn prynhawn Sul, pan aeth Ceinwen â'r plant i de at eu nain, roedd y digwyddiad a roddodd gymaint o boen meddwl iddi ychydig ddyddiau ynghynt wedi lleihau yn ei golwg. Cawsant amser difyr fel arfer nes i'r plant ddechrau ffraeo tra oedd y ddwy wraig yn golchi'r llestri yn y gegin. At ei gilydd byddai'r ddau'n ffrindiau ond yn ddiweddar dechreuodd Ffion fagu'r cythreuldeb hwnnw sy'n peri i'r ieuengaf gythruddo'r hynaf. Busnesu yn nheganau Aneurin y byddai'r fechan, ac o ganol chwarae fe godai storm Awst o sgarmes, yn sydyn ac yn wyllt.

'Byhafiwch, chi'ch dau!' galwodd Ceinwen o'r gegin.

Aeth eu nain drwodd atynt, a fu dim gair croes rhyngddynt weddill yr ymweliad. Yn wir, bu'r ddau yn anarferol o dawel.

'Dwi'm yn dŵad i dŷ Nain eto!' Lluchiodd Ffion y gosodiad fel carreg i lyn digrychni yn y car ar y ffordd adref.

'Be ti'n feddwl?' Gwelai Ceinwen wyneb ei merch yn y drych, â'r geg yn bwdlyd benderfynol. 'Pam wyt ti ddim yn dŵad i dŷ Nain eto? Be sy arni hi, Aneurin?'

'Y dynion bach roedd Nain yn sôn amdanyn nhw. Dim ond smalio oedd hi siŵr, er mwyn i ni beidio ffraeo — yr hen Ffion wirion!' Chwarddodd Aneurin a dechreuodd ei chwaer grio. Teimlai eu mam grafangau iasoer yn gafael yn ei gwar.

Wedi cyrraedd adref, cysuro Ffion oedd y flaenoriaeth. 'Doedd Nain ddim yn hoffi'ch gweld chi'n ffraeo, ti'n gweld. Isio ichi fod yn ffrindia oedd hi, wsti.'

Buan y daeth y ferch fach ati ei hun, ac wrth edrych arni hi a'i brawd wedi ymgolli yn un o'u hoff raglenni teledu bron na allai Ceinwen hithau gredu mai rhyw grychni ar wyneb dŵr llonydd oedd y cyfan. Bron na allai fygu'r anesmwythyd a gorddwyd eto gan yr ymweliad. Bron.

Ond wedi i flinder oddiweddyd Ffion a'i diymadferthu am y nos, a Ceinwen yn eistedd am sgwrs fach hwyrol ar ymyl gwely ei mab, meddai Aneurin, 'Rhyfedd oedd hynna, yntê, hefo Nain.'

'Be, cariad?' Gwyddai beth oedd yn dod.

'Wel, roedd hi'n deud wrthon ni am fod yn blant da rhag i'r dynion bach fod yn flin hefo ni — jyst fel tasan nhw yna go-iawn. Dwi'n gwbod mai smalio oedd hi ond doeddwn i ddim yn lecio'r ffordd roedd hi'n edrach.'

'Twt, ma' heb bobol yn siarad dipyn o lol weithia, wsti. Peidio cymryd sylw sy ora. Wyt ti am ddarllen am dipyn?' Gwenodd ei fam arno a'i gusanu.

Aeth Ceinwen i gael gair gyda'r meddyg ganol yr wythnos. Gofynnodd iddo fynd i weld ei mam gan gymryd arno mai ymweliad bach answyddogol â rhai yn eu saithdegau ydoedd. Bu ar bigau'r drain yn disgwyl clywed y ddedfryd.

'Wel, Ceinwen fach, ry'ch chi'n gofidio heb achos o gwbwl.' Roedd gwrando llais deheuol Dr Williams yn rhoi iddi'r un ymdeimlad o gysur ag y byddai lapio blanced gynnes amdani wrth y tân a hithau ym merw un o glefydau plentyndod. Ef a ddeuai i'w gweld bryd hynny, a'i bresenoldeb yn dalp o sirioldeb lond yr ystafell.

'Rydw i wedi rhoi tabledi haearn iddi — y gwaed tipyn bach yn isel — ond ar wahân i hynny mae'r iechyd yn dda iawn. A'r meddwl hefyd,' ychwanegodd. 'Dim achos pryderu o gwbwl.'

* * *

'Wedi dod â dipyn o flodau ichi.' Roedd Ceinwen wedi oedi ychydig ddyddiau cyn mynd i weld ei mam, wedi cael ei chysuro gan eiriau'r meddyg.

'O, tydi bloda'n codi calon rhywun! Wnei di eu gosod nhw imi tra bydda i'n gneud panad?'

Rhoddodd Ceinwen y blodau mewn llestr gwydr, a'u dodi ar flaen y dresel lle'r oedd eu lliwiau cryf yn sefyll allan yn erbyn glas y platiau.

'Ddim yn fan'na!' Daeth y gorchymyn fel ergyd o wn. Safai Ceinwen yn ei hunfan, fel pe wedi ei pharlysu.

'O'r nefoedd!' meddyliai, tra gwyliai ei mam yn symud y blodau a'u gosod ar ben y silff lyfrau wrth y tân. Rhy agos i'r gwres yr ystyrid y fan honno ganddi bob amser.

'Wyt ti'n gweld, Ceinwen,' meddai, mewn llais amyneddgar, 'mae'r dynion bach a finna wedi dod yn ffrindia rŵan. Tydw i ddim eu hofn nhw fel roeddwn i ar y dechra. Ma'n nhw'n gwmni imi, deud y gwir. Dydw i ddim isio rhoi dim ar flaen y dresal er mwyn gadal lle iddyn nhw.'

Rhoddodd ei merch fraich dyner am ysgwyddau'r hen wraig. 'Pam na ddowch chi aton ni am dipyn . . .'

'I be, yn enw rheswm?' torrodd ar ei thraws. Gwelodd Ceinwen nad oedd ganddi obaith rhoi perswâd arni.

* * *

Nid oedd yr alwad ffôn gymaint â chymaint o syndod iddynt. Dr Williams oedd yn dwyn y newydd fod Catherine Morris wedi ei chipio i'r ysbyty. Nid oedd am fanylu, dim ond dweud mai gorau po gyntaf iddynt fynd yno. Wedi cael Lowri drws nesaf i ddod i aros yn y tŷ gyda'r plant, a oedd, trwy drugaredd, yn cysgu, prysurodd Ceinwen a Rhun tua'r ysbyty, lle'r oedd y meddyg yn disgwyl amdanynt.

'Dewch i fan hyn am funud,' meddai, gan eu harwain i ystafell fechan. Eglurodd fel y cafwyd Catherine Morris yn yr afon — dyn ifanc allan yn loncian wedi ei gweld yn diflannu i dywyllwch y dŵr ac wedi ei llusgo allan cyn cael cymorth modurwr i fynd â hi i'r ysbyty. 'Fu hi ddim yn y dŵr yn hir,' meddai'r meddyg, 'ond mae hi'n rhewi heno, a rhwng yr oerfel a'r sioc . . .' Ysgydwodd ei ben.

'Ydi hi'n ymwybodol?' Rhun oedd y cyntaf i ddod o hyd i'w lais.

'Fe fu hi am ychydig, ond ffwndrus iawn oedd hi.'

'Ddeudodd hi rywbeth i roi syniad o gwbwl pam mae hyn wedi digwydd?'

'Wrthi am y dynion bach oedd hi, fel y sonioch chi wrtha i o'r blaen. "Y dynion bach ddeudodd wrtha i am fynd i 'drochi yn yr afon" — dyna ddwedodd hi.'

* * *

Mae gwagio tŷ a fu'n gyfarwydd i rywun fel gwylio coeden yn cael ei dinoethi o'i dail, meddyliai Ceinwen. Bellach roedd y profiad chwithig hwnnw drosodd, yn ddim ond atgof trist. Aeth y dodrefn a'r celfi ar chwâl ar wahân i'r rhai y dewiswyd eu cadw.

'Wnes i erioed feddwl y byddai'r hen ddodrefn yn edrach cystal yn y tŷ yma,' oedd dedfryd Rhun. 'Mae'r cloc mawr yn edrach yn dda iawn yn y cyntedd.'

'Ydi, ac mae'r dresal wedi cymryd ei lle'n ardderchog yn y lolfa.' Roedd Ceinwen yn trysori'r pethau hynafol a fu yn ei theulu ers cenedlaethau.

Tan heno.

Wrth fynd i lawr y grisiau wedi cael y plant i glwydo, tybiai iddi glywed sŵn cwynfan o gyfeiriad y lolfa. Yno'r oedd Rhun yn ei gwman yng nghornel yr ystafell, fel pe wedi ei barlysu, yn estyn bys i gyfeiriad y dresel. Doedd ei lais ond sibrwd bloesg — 'Dyna nhw!'

SIOP PICCADILLY

Grace Roberts

Heidiai hogiau'r Pant at ddrws Siop Piccadilly fel pryfed at lamp drydan. Haeddai'r siop ei llysenw; prin y gwelwyd erioed oleuadau mor fetropolaidd yng nghefn gwlad Cymru. Edrychai'r bwlbiau lliw mor gartrefol â chocatŵ ar goeden gwsberis, oherwydd haeddai'r Pant ei enw hefyd. Twll o le ydoedd, a dim i'w wneud yno ddyddiau fu ond sefyllian dan gannwyll frwyn o oleuni ar y sgwâr heb hyd yn oed fyd i'w wylio'n mynd heibio, gan fod y byd yn rhuo ar hyd ffordd osgoi ers talwm. O feddwl, y peth callaf i'w wneud â'r Pant oedd ei osgoi.

Hyd nes yr agorodd Siop Piccadilly. Roedd yno siop, o fath, cynt, a gedwid gan hen gwpl wedi gweld oed byw ar y wlad ers tro. Rhaid mai'r wlad a'u cynhaliai, hefyd, gan na chadwent ddigon o nwyddau i roi bywoliaeth i chwannen, heb sôn am fwydo'r pentrefwyr. O'r herwydd, tyrrai'r rheini bob Sadwrn i'r archfarchnad yn y dref, siwrnai gyflym i arbed eu harian yn ogystal ag i gael gwell dewis. A chan fod y cwsmeriaid wedi hen werthu'r siopwyr di-raen, ni allent hwythau gelcio'r amrywiaeth o nwyddau a'u denai'n ôl. Doedd ryfedd i'r ddau yn y diwedd benderfynu rhoi'r til yn y to a mynd i fyw i'r Rhyl at yr unig ferch y mynnent ei harddel. Roedd y llall wedi magu adenydd yn ddeunaw oed ac wedi anghofio sut i hedfan adref.

Bu'r siop ar y farchnad am flwyddyn, a'r hen greadur-iaid yn dihoeni wrth ddisgwyl am gynnig. Yna, un dydd, ymddangosodd GWERTHWYD ar arwydd yr asiant. Sbriwsiodd y ddau drwyddynt, yn enwedig wrth weld pobl na fuasai'n tywyllu eu drws ers blynyddoedd yn troi i mewn am eu chwarteri te a'u bocsys matsys.

Y gyntaf i groesi eu rhiniog y bore hwnnw oedd Carys Lloyd.

'Wedi gwerthu, Musus Jones?' meddai'n smalio-bach ddi-hid. 'Saeson, ma'n siŵr.'

'Naci wir, cofiwch, Mrs Lloyd,' atebodd Mrs Jones. 'Rwbath arall y bora 'ma?' fel petai'n cael y fraint o wasanaethu Carys Lloyd bob dydd o'i hoes. Rhoes Carys ddau a dau at ei gilydd heb drafferthu i glandro'r ateb. Lledaenodd stori drwy'r pentref fel fflamau drwy burfa olew: Cymry fyddai'n cadw'r siop.

Toc, heliodd Dic a Meri eu pac am y Rhyl. Llwyddodd y ddau i'w gwadnu hi heb ollwng unrhyw gath ychwanegol o'r cwd, a chwyddodd hyn y dyfalu yn y Pant ar ei ganfed.

'Rhai o Landudno glywis i, wedi cael llond bol ar gadw fisitors ac isio dipyn o newid cyn riteirio . . .'

'Cwpwl o Lundain ddeudodd rhywun. Tri o blant bach ac isio'u magu nhw'n Gymry. 'Neith les i'r ysgol. Yr Ediwceshion yn bygwth 'i chau hi, 'ndydyn . . .?'

'Gobeithio bod 'no genod. Lle 'ma'n brin uffernol o dalant . . .'

Parodd y perchennog newydd iddynt ddawnsio ar bigau drain am bythefnos cyn symud ei stondin. Yna, un Sadwrn o Fedi, hwyliodd lyri ddodrefn i lawr yr allt i ganol y pentref ac aros o flaen y siop. O sedd y gyrrwr camodd dyn mewn ofyrôl glas tywyll, a'r cap ar ei gorun yn anelu ei big tua'r haul. Pwysodd ar foned y lyri a syllu ar y siop.

'*Bonkers*,' meddai. '*Bloody mad*.'

Ni chafodd eiliad yn hwy i fyfyrio ar wallgofrwydd, gan i ddau o lafnau tua phymtheg oed ymddangos wrth ei ochr.

' 'Dach chi isio help?' gofynnodd Gruff Lloyd.

Tynnodd y dyn ei gap a chrafu ei ben. '*Yer-wa*?' gofynnodd. Yna mewn Cocni coeth: 'Ma' hyd'noed yr iaith yn anwaraidd yn y twll din lle 'ma, 'ndydi? Dyn 'ma'n cracyrs, claddu'i hun yn fyw. Bachwch hi'r ffernols.'

'Diawl dig'wilydd,' ebychodd Moi Meredydd fel y

ciliai'r ddau i bellter gweddus ond cyfleus. 'Dy fam 'di cael ei stori tu chwynab eto, do?'

'Dim ond dreifar y lyri 'di'r shinach yna,' atebodd Gruff. 'Chlywist ti ddim am ryw bobol o Lundain isio magu'r plant yn Gymry? Tyd i ista ar wal y fynwant; mi gyrhaeddan toc.'

Fel y neidiai'r hogiau i ben y wal, parciodd fan wichlyd goch a melyn o flaen y lyri ddodrefn, ac ohoni camodd dyn byr, cyhyrog, yn ei ugeiniau, gyda mop o gyrls fel glo mân. Ar ôl cyfarch gyrrwr y lyri, edrychodd i gyfeiriad y bechgyn a fflachio gwên hysbyseb past dannedd arnynt.

'*Buon giorno*,' meddai, 'hogia.'

Agorodd dwy geg yr un eiliad fel deuawd ar lwyfan. 'Italian Cymraeg, myn cebyst i!' gwaeddodd Gruff. Sbonciodd oddi ar y clawdd a brasgamu am y fan seicad-elig.

Cododd yr Eidalwr ei ddwylo a chwerthin. 'Plîs, plîs?' meddai. Disgynnodd gwep Gruff.

'*No Welsh*?' gofynnodd, mewn tôn a awgrymai ei fod yn amau mai go gwta oedd Saesneg y creadur hefyd.

'*Leetl beet, yes*?' atebodd y dyn. '*Now I learn proper.* Iawn?'

'Iawn!' Gwenodd Gruff, ac ysgydwodd yr Eidalwr ei law.

'Mi lyncist ti hwnna fel llwyaid o fêl,' meddai Moi pan roes Gruff hwb iddo'i hun yn ôl i ben wal y fynwent. 'Jest am 'i fod o'n medru gair ne ddau o Gymraeg.'

'Hynny'n gychwyn, 'dydi?'

'Trio mynd i'n llewysia ni mae o; prynu yn 'i hen siop o.'

'Paid â malu. Mi 'nâi 'i ffortiwn tasa fo'n dibynnu arnan ni. Fetia i bumpunt bod y boi yn y Pant i ddysgu Cymraeg. Fasan ni'n medru rhoi help iddo fo gyda'r nosa; be ti'n ddeud, Moi?'

'Dy ddysgu di dy hun byddi di hefo'r dam TGAU 'ma,

os ceith dy fam 'i ffor',' atebodd Moi. 'Tendia dy hun, ma' hi'n dŵad.'

Piciai Carys Lloyd yn fân ac yn fuan i lawr y stryd, fel pe bai ffawd y byd yn dibynnu ar iddi hi gyrraedd pen ei thaith. Arhosodd gyferbyn â'r bechgyn, gan droi ei chefn yn orfwriadus ar y lyri ddodrefn.

'Pam 'dach chi'n loetran yn fan'ma?' gofynnodd. 'Does gynnoch chi ddim byd gwell i' neud ar bnawn braf?'

'Oes, tad. Am fynd i Disneyworld toc, Mrs Lloyd, os na fydd 'na bregath go dda yn rwla,' atebodd Moi.

'Pobol y siop sy 'di cyrraedd, Mam.' Brysiodd Gruff i roi ei big i mewn cyn iddi ddechrau rhefru am ddigywilydd-dra llafnau'r oes. 'Cynnig help i ddadlwytho ddaru ni.'

'Ydyn nhw yma?' gofynnodd ei fam yn ddiniwed gan droi i edrych ar y siop. 'Welsoch chi nhw?'

'Do,' meddai Moi. 'Indiad Coch hefo dau ben ydi o.'

'Morus Meredydd! Rhag dy g'wilydd di!'

Chwarddodd Gruff. 'Italian ydi'r dyn, Mam.'

'Bobol mawr, be ma' rhywun felly'i isio mewn lle fel hyn?' ymsoniodd Carys. 'Ma' gynnoch chi'ch dau wyneba fel castîl yn stwna o'u cwmpas nhw yn fan'ma. Mi fasa'n harddach i chi fod adra'n stydio. Paid di â bod yn hir, Gruff. Mi fydd te'n barod toc.' Cychwynnodd yn ôl tua'i chartref.

'Oedd raid i ti fynd dros ben llestri, Moi?' gofynnodd Gruff. 'Ma' hi 'di anghofio i lle'r oedd hi'n mynd rŵan.'

Gwenodd Moi. 'Wyt ti'n meddwl, was? O, Duw, dwi 'di cael llond bol yn fan'ma. Tyd i gae'r ysgol am gêm o ffwtbol cyn i'r pentra i gyd ddŵad i gael sbec.'

O hynny hyd ddechrau Rhagfyr, prin y gwelwyd deiliad newydd y siop gan neb o drigolion y Pant, a chryfhaodd ei feudwyaeth y sibrwd yn ei gylch. Roedd o gartref, yn ddigon sicr; clywid stŵr llifio a phlaenio a drilio'n drybowndio drwy'r waliau bob awr o'r dydd a'r nos, nes peri i'r wraig drws nesaf ymdynghedu na phrynai yr un ffeuen ganddo hyd dragwyddoldeb. Yna, un dydd o Ragfyr, ymdarddodd yr Eidalwr o berfeddion ei siop a pheintio'i hwyneb yn glaerwyn a'i ffenestri'n dduon. Drannoeth a thradwy, diflannodd yn ei fan, gan ddychwelyd bob nos gyda'i llond o nwyddau. Fore Gwener, hoeliodd arwydd crand yn cyhoeddi 'Giovanni's' uwchben y drws, ffidlodd gyda gwifrau trydan, sodrodd fwlb cryf yn y lamp a chrogodd res o rai lliw o'i chwmpas. Yna cymerodd hoe haeddiannol am weddill y dydd. Roedd Giovanni's yn barod am fusnes.

Dallodd disgleirdeb newydd golau'r siop yr hogiau fel llifoleuadau cae pêl-droed wrth iddynt ddisgyn o fws yr ysgol.

'Ufflon,' meddai Moi. 'Piccadilly Circus.' A dyna Giovanni's wedi ei hailfedyddio.

Awn ni i weld y boi ar ôl te,' cynigiodd Gruff. 'Gêm?'

'Llyfwr!' meddai Moi.

Ond trech chwilfrydedd na rhagfarn; Moi oedd y cyntaf i gyrraedd. Arhosodd ar y sgwâr nes i Gruff ddod i'r fei, yna mentrodd y ddau tua'r siop. Er gwaethaf y goleuadau, hysbysai arwydd ar y drws ei bod WEDI CAU.

'Ddeudis i bod y boi o ddifri, do, am ddysgu Cymraeg?' meddai Gruff.

'Waeth iddo fo heb os nad eith o i draffarth i agor,' oedd sylw Moi.

'Fory'r agorith o; dydd Sadwrn yn ddiwrnod da i siopwrs.' Pwysodd Gruff ei drwyn yn erbyn y gwydr. 'Gynno fo dorrath o stwff yma.'

'Busnas!' Ymunodd Moi yn y sbecian. 'Yli, ma'r boi 'di'n gweld ni.'

Dynesodd Giovanni tua'r drws a'i freichiau cyn lleted â'i wên. Sgrechiodd cloch drydan wrth iddo'i agor.

'Alô,' gwaeddodd. 'Welcôm. *I not open yet, but* croeso.'

Ni chafodd ateb. Syllai'r bechgyn yn syfrdan o'u cwmpas ar weddnewidiad y siop. Nid rhyw dwll dan grisiau myglyd un ystafell mohoni bellach. Roedd Giovanni wedi chwalu muriau a chreu drysau i uno'r siop a stafelloedd byw Dic a Mari, a gosod drychau yma ac acw ar y parwydydd i roi argraff o ehangder braf.

'*You like-a, yes*?' Amneidiodd y ddau'n gegrwth. '*'Ave a look*.'

Crwydrodd yr hogiau drwy'r stafelloedd. Yn y gyntaf, hen siop Dic a Meri, yr oedd y bwydydd a welsent drwy'r drws gwydr, ynghyd ag amrywiaeth hyd benwendid o ddiodydd meddwol. Drwodd yn y nesaf arddangosid recordiau, casetiau a thapiau fideo, ac mewn ystafell yn y cefn safai rhesi enfysaidd o grysau-T a jîns a sgertiau a thopiau.

'*Chain-store-a-seconds*,' meddai Giovanni. 'Da, *si*?'

'Pwy sy'n mynd i brynu petha fel hyn yn y Pant?' gofynnodd Moi yn Saesneg.

'*I advertise. Everybody know Giovanni's shop*,' oedd yr ateb. '*What advertise in Welsh*?'

'Hysbysebu,' atebodd Gruff. 'Sut dysgoch chi Gymraeg?'

'*I know somebody once*,' atebodd Giovanni'n annelwig.

'Gawn ni'ch helpu chi?' gofynnodd Gruff.

'*Si, si! You come every night. Giovanni open till eleven, twelve*,' cododd ei ysgwyddau, '*any time. Start now, yes? My flat upstairs, I give you coffee*.'

O hynny hyd y Nadolig, cynhaliwyd dosbarth nos hafal i'r WEA yn Siop Piccadilly. Blaenoriaeth bwysicaf Giovanni oedd cyfrif. Llwyddodd i lusgo'r rhifau o un i ddeg yn weddol ddiymdrech o rywle yn nyfnderoedd ei gof, ond ei uchelgais oedd tynnu blewyn o drwyn y cwsmeriaid hynny a fynnai ofyn iddo am 'ffiffti pî' ar gyfer eu mesuryddion trydan. Cyrhaeddai'r rheini'n gyson fin nosau: rhai oherwydd iddynt gael eu hyrddio i dywyllwch disymwth; eraill, yn sgîl y tywyllwch, yn chwenychu fideo go ogleisiol neu botelaid o gysur; nid oedd tafarn yn y Pant. Yn eu cwmni hwy a'r hogiau, ni fu Giovanni'n hir cyn ychwanegu geiriau pur liwgar at ei 'bum-deg-a-cainiog', a dechreuodd mwy a mwy o lafnau ymgasglu o gwmpas y goleudy a alwai'n siop. Roedd yn dda iddo wrthynt. Adar di-dderbyn-wyneb y nos oedd ffon fara Giovanni; hel straeon amdano a wnâi plant yr haul.

Dridiau cyn y Nadolig, caeodd ei ddrysau'n gynnar. 'Ti dim mynd,' meddai wrth Gruff a Moi. 'Fi adra *domani. Italia for Christmas. Drink, si*?' Dilynodd yr hogiau ef i'w fflat.

'Ti isio *vino*?' gofynnodd Giovanni. 'Wisgi? Cwrw?' Edrychodd y ddau ar ei gilydd.

'Well i ni beidio,' meddai Gruff.

'Paid â bod yn fabi clwt,' dirmygodd Moi, ei ragfarn wedi hen doddi. 'Unwaith y flwyddyn bydd Dolig yn dŵad. Cwrw?'

Estynnodd Giovanni feddwad o boteli. '*Help-a-yourself*,' meddai. 'Ti gweld fideo; fi *pack*.'

Er nad oedd y fideo mor goch ag y gobeithiai'r hogiau, go brin y cawsai dystysgrif 'U'. Rhwng hynny a'r lysh, mwynhaodd y ddau noson i'w chofio. Tua deg, dangosodd Giovanni'r drws iddynt. 'Fi mynd *early domani*,' meddai.

Ni phrofodd gwynt y dwyrain a chwrw Wrecsam yn gymysgfa ry hapus. Pan gyrhaeddwyd cartref Gruff, aeth yn bwys ar Moi.

'Isio tŷ-bach,' meddai. 'Ga i ddŵad i'r tŷ?'

'Distaw. Dwi isio mynd i 'ngwely heb i Mam glywad.'

'Sgin ti ddim sodin gobaith,' meddai Moi dros y lle.

'Gruff?' Daeth Carys Lloyd i'r drws. 'Chdi sy 'na? Diolch byth; twrw fel rhyw hen betha wedi meddwi. Yn yr hen siop 'na buost ti eto?'

'Ia, Mam. Moi ith-isio mynd i'r toilet.'

'Dydi o adra bron.' Aroglodd Carys yn uchel. ''Dach chi 'di bod yn yfad. Ma'r hen ddyn 'na wedi'ch meddwi chi. Dwi 'di deud ers talwm mai hen ddyn drwg ydi o. Be ma' rhyw Italian fel'na hefo fawr o Saesneg yn 'i wneud mewn pentra bach yng Nghymru . . .'

'Tŷ-bach,' meddai Moi, 'plîs.'

'Dos yn dy flaen,' meddai Carys. 'Tyd i'r gegin wedyn. Hen bryd i rywun gnocio dipyn o sens i'ch penna chi.'

Pan rowliodd Moi yn ei ôl yr oedd Carys eisoes wedi dechrau pregethu. 'Be ddoth dros eich penna chi'n gadael i'r dyn 'na'ch perswadio chi i yfad? Ma' 'na dantro dychrynllyd yn y pentra 'ma 'i fod o'n gwerthu diodydd o gwbwl, heb sôn am gychwyn petha ifanc fel chi ar lwybyr dinistr . . .'

'D-dolig, Mrs Lloyd,' meddai Moi. 'Ma' hi'n Ddolig.'

'Morus, mi fuost yn yr Ysgol Sul ddigon i sylweddoli nad esgus i yfad ydi Dolig. Does wybod be 'di gêm y dyn 'na . . .'

'Giovanni,' meddai Gruff.

'Ia, fforinar,' bloeddiodd Carys. 'Be wyddon ni pwy ydi o? Pam mae o wedi tyrchio i berfeddion pentra bach cefn gwlad? Be sy gynno fo i' guddio? Deudwch chi hynny wrtha i. Ma'r straeon dwi 'di clywad o gwmpas y lle 'ma'n ddigon i godi gwallt eich penna chi, ond achos eich bod chi'n gwneud eich gora glas i ddysgu Cymraeg iddo fo, dwi 'di troi clust fyddar a thrio rhoid beniffit o ddy dowt i'r bwbach tan heno. Taswn i'n gwbod hyn fasa'r un . . .'

'O dy ddau droed di wedi cael mynd yn agos at 'i hen siop o,' gorffennodd Gruff â gwên wirion ar ei wyneb.

'Dyna ddigon, Gruff! Dwi 'di clywad bod y dyn 'na'n hwrjio drygs; mi fydd yn trio'ch hudo chi ar y rheini nesa. Ma' 'na sôn 'i fod o yn y Maffia . . .'

Dechreuodd Moi weiddi chwerthin.

'Elli di chwerthin, Morus. Cofia di, dwyt ti'n nabod dim arno fo. A pheth arall, does 'na'r un ddynas yn agos i'r lle a mae o'n eich hudo chi'r hogia yno byth a hefyd. Pwy ŵyr nad ydi o, wel . . .'

'Pwfftar?' gofynnodd Moi. 'Ha ha ha! Gâi o gyth . . . gythral o job i fynd i'r afael â llond siop ar unwaith!'

'Morus Meredydd!' gwaeddodd Carys. 'Adra!'

Drannoeth, fel yr ymlusgai Gruff i lawr y grisiau gan fwytho'i ben, daeth Carys Lloyd i'r tŷ ar ôl clonc gyda'i ffrind.

'Eitha gwaith â chdi,' meddai. 'Ddysgith hynna i ti hel diod.'

'Fuon ni ddim yn hel diod, Mam. Dim ond bod yn gymdeithasol hefo Giovanni.'

'Chymdeithasi di ddim hefo fo eto rhawg. Ma'r plismyn wedi mynd â fo.'

'Plismyn?'

'Plismyn. Ddeudis i bod 'na ddrwg yn y caws, do? Gwynt teg ar 'i ôl o, ddeuda i.'

Dros yr Ŵyl, bu Giovanni'n fwy o bwnc llosg na gwin na Geni. Twt-twtiai'r cyhuddwyr yn hunanfoddhaus, galar-ai'r llymeitwyr am eu lysh a'u fideos, a gofidiai'r hogiau am ffrind.

'Gartra dros y Dolig mae o. Un arall o straeon tylwyth teg dy fam ydi helynt y plismyn,' meddai Moi fore Calan.

'Dwn'im,' meddai Gruff. 'Ma' hi'n 'i gweld hi amball dro, 'sti.' Eisteddai'r ddau ar wal y fynwent gan gofio am y tro cyntaf iddynt daro ar Giovanni. 'Sgwn i be mae o 'di neud?'

'Ddaw allan toc,' meddai Moi, 'os gnaeth o rwbath o gwb . . . Hei, sbia!'

Syllodd Gruff i fyny'r allt. Yn sgrialu i lawr fel pe na bai'r fath beth â brêc yn bod, yr oedd y fan goch a melyn. Arhosodd gyda sgrech o flaen Siop Piccadilly.

'*Buon giorno*, hogia!' Saethodd pen du a gwên wen drwy'r ffenestr. 'Blwyddyn Newydd Dda.'

Rhuthrodd y bechgyn tuag ato. 'Diolch byth, Giovanni!' gwaeddodd Gruff. 'Meddwl mai yn jêl roeddat ti.'

'Jêl?' Llamodd Giovanni o'r fan a golwg ddryslyd arno. 'A! Plisman, *si*? Fi dim leisans i *booze! Don't matter*, sbïwch.' Agorodd ddrws arall y fan, a thrwyddo camodd merch ifanc lygatddu a'i gwallt tywyll yn llanast deniadol o gyrls o gylch ei phen. Ar ei braich yr oedd geneth fach tua blwydd oed.

'Sophia ac Anna,' meddai Giovanni'n falch.

Llwyddodd Gruff i orchfygu ei syndod. '*Nice to meet you*,' meddai.

'*Sophia no understand*,' meddai Giovanni. 'Rŵan dŵad o Italia. Anna Cymraeg, *like* Nain.' Rhythodd y bechgyn yn anghrediniol ar y babi bach a chwarddodd Giovanni. '*I explain*,' meddai. 'Mam fi Cymraeg, dad fi Italiano. Byw Llundain. Ffraeo, *fireworks*! Dad fi *take* fi *to* Italia. Fi wyth oed. Dim cofio lot o Cymraeg. Dim gweld Mam eto,' gorffennodd yn drist. Gafaelodd am ganol ei wraig a chosi boch yr eneth fach ar ei braich. 'Lwcus ffendio siop. Fi gweithio calad calad yn Llundain prynu hwn. Ni teulu *together* rŵan, *si*?'

'Dyna stori'r pwfftar allan drwy'r ffenast,' meddai Moi wrth gychwyn adref.

'Ia. Gobeithio ceith o fwy o gwsmeriaid rŵan.'

Winciodd Moi. 'Tyd i ddeud wrth dy fam, was; fydd 'no lond siop mewn chwiffiad.'

'Ydach chi'n cofio clywad sôn am ryw bobol oedd isio i'w plant fod yn Gymry?' meddai Gruff wrth Carys pan gyraeddasant y tŷ. 'Ma' gan Giovanni wraig a hogan bach.'

'Be wyddost ti?'

'Newydd 'u gweld nhw,' meddai Moi. 'Ac roedd 'i fam o'n Gymraes.'

'Morus Meredydd,' chwyrnodd Carys, 'ma' dy straeon di'n mynd yn wirionach bob dydd.'

'Cris croes tân poeth, Mrs Lloyd, ma' hynna'n efengyl,' meddai Moi, â golwg 'un dda i ddeud' ar ei wyneb.

'Bobol mawr. Un o le ydi hi?'

'Soniodd o ddim. Wyddoch chi ddim am neb o'r Pant 'ma briododd Italian?'

'Na wn i, wir, os na ddaru'r hen hulpan honno, hen hogan y Siop ers talwm. Mi ddi'ngodd i rwla pan oeddwn i tua deg oed. Welodd neb byth mo'ni.'

'Be oedd 'i henw hi, Mam?' gofynnodd Gruff.

'Os cofia i'n iawn,' atebodd Carys, 'Anna.'